講談社文庫

激しく家庭的なフランス人
愛し足りない日本人

吉村葉子

講談社

はじめに

激しさと家庭的という、一見そぐわない組み合わせのタイトルをご覧になって、首をかしげるあなたの姿が目に浮びます。とかく個人主義とか、わがままといった形詞が冠せられることが多いフランス人が、本当は家庭的な人たちなのだと思ってくださったとしたら、タイトルづけに成功したといえるでしょう。それでは本著でいう「激しく家庭的」の意味を、手短にご説明しましょう。

これを思いついたきっかけは、ほんの些細《ささい》なことでした。ある夏の暑い日、パリで招かれていった家でたまたま目にしたタルトが私に向かって、「激しく家庭的」な秋波を送ってよこしたのです。地中海の太陽をたっぷり浴びた真っ赤なトマトを、小麦粉とバターを捏ねた生地に並べて焼いたタルト。それはあたかも幸せが凝縮した、愛のタルトでした。

トマトのタルトがなぜと、お思いになることでしょう。お店でも買えますが、小麦粉とバターさえあれば、だれでもできる野菜や果物のタルトはフランスのママンの味。作ったのは生命工学とやらを研究している、おおよそ生活感のないパリジェンヌ。白衣をまとえば女医さんですが、Gパン革ジャンなら暴走族にみえる、蠱惑的ですらある女性でした。

彼女だけでなく、おしゃれと恋愛が上手なフランス女性は、実はとても家庭的。もちろん男性もそうで、甲斐甲斐しく子供たちの面倒をみるパリジャンを眺めながら、子供を連れて歩く姿は、女性より男性にお似合いだと、妙に感心したものです。今にして思えば「激しく家庭的」だったのはトマトのタルトではなく、パーティー会場にそれを持参した彼女にちがいありません。作り手の真心がぎっしり詰まった、ほんわかとした家庭の味そのものでした。

日本に戻り、夏が終わり秋になり本格的な冬を迎え、本著のタイトルを決める段になって、久しく忘れていた完熟トマトのタルトに凝縮した、情熱的な彼女の記憶とともに、「激しく家庭的」という言葉が蘇ったのです。文庫化の準備のためにゲラを一行ずつ読み返す私の頭の片隅にいつも、彼女とあの日のタルトの絵柄がくすぶっておりました。そしてあの日の光景がいみじくも私に、あることに気付かせてくれたのです。日本人の私たちのまわりから、家庭的という言葉が消えつつあることを。

家庭的という言葉を、最近あまり使わなくなった気がします。以前、家庭的といえば、独身の娘さんの最大の誉め言葉でした。正式でも略式でもお見合いの席で、仲人役の女性は満面に笑みを浮かべて娘さんを、相手の男性にそういって紹介したものです。奥さんにしてもそうで、たとえば会社の部下に「○○長さんの奥さん、家庭的でいいですね」といわれるとご主人は、まんざらでもなさそうに嬉しそうな顔をしたものです。ところが、今はどうでしょう。「お宅のお嬢さん、家庭的ね」といわれるより、世の母親たちからしてこういわれるほうが喜ぶのではないでしょうか、「お宅のお嬢さん、優秀ね」とか、「お宅のお嬢さん、いい会社にお勤めね」と。そして奥さん家庭的ですねといわれた夫にいたっては、「そうですね彼女、専業主婦ですからね」としか、いいようのない時代になったのではないでしょうか。

家庭的という言葉で連想するのは、せいぜい小中学校の教科にある家庭科の授業くらいなものです。それさえ最近、ほころび直しの項目が削除されたことでもお分かりのように、急速にパワーダウン。世の中の趨勢《すうせい》が、服を繕《つくろ》って着るなんて時代遅れもはなはだしいと思うようになったからです。まあ家庭科の授業については、私が20年暮らしたフランスにはもともと家庭科が教科にないので、取り立てて問題にしなくてもいいでしょう。

ところが、家庭的という言葉が軽んじられているのは、実はわが国だけなのです。フランスでは男女を問わず、ホモ・セクシュアルの人たちまでが、心の底から家庭的でありたいと望んでいます。そのことを、自らが農業国であることになぞらえる人もいるほどです。太古から農業は保守、つまりコンサヴァティブでなくてはやっていけない点が家庭的だと、彼らは主張。コンサヴァティ（保守的）ですらある家庭的という言葉が、愛を軸にした生活のすべてを物語ると、フランス人のだれもが思っているからなのです。

そんな彼らを知るにつけ、お金がなくても平気だけれども、愛がなければ生きていけないという彼らの心情の吐露に、世の中の真理が宿っていると私は思うようになりました。ここは日本なのだから、私たち日本人には愛はこそばゆい存在だとおっしゃるなら、優しさとか思いやり、または信頼という言葉に置き換えてください。あなたが独身で、一人暮らしでも、同じように家庭的という言葉は使えるのです。

お料理を作るのが好きだから、家事が得意だから家庭的なのでもありません。愛する人でもモノでも感情でも、私たちが全身全霊で守ろうとする気持ちが、家庭的にちがいありません。人間は独りでは生きていけないものです。だれかを激しく愛し、その人との幸せな生活を守りたい。ですから、「私たちももっと家庭的になって、恋人や夫を、そして家族を愛しましょうよ」と。ここまで書きながら、エッセイストというのは、やはりお節介焼きなのだと、またしても自嘲気味の私がおります。
それでは家庭的であることを謳歌するフランス人の価値観を参考にしながら、幸せ探しの読書にお入りください。

吉村葉子

目次

第二章　いつまでも男と女でいるために

第三章　優しさは女の武器

第四章　ストレス回避ですがすがしく生きる

第一章

あなたに
愛されていたいから

他のだれの前でもない、
夫や恋人の前で輝いていたいと
フランス女性は思っている。

出会いのとき、忘れていませんか

きっかけがあれば蘇る、出会いにまつわる二人のロマン

＊劇的な出会いを忘れていませんか

出勤を前にした夫に仏頂面ばかりしていないで、今日一日がんばってねと、優しく送り出そうではないか。寝起きの悪い子供のベッドの枕元で小言のかわりに、久しく出したこともないような猫なで声で、話しかけてごらん。

のどもと過ぎればではないが、私たちは往々にして忘れてはならないことを忘れ、思い出したくもないことをよく覚えているものだ。どうでもいいことを美化してみたりするかと思えば、肝心なことを忘却の彼方におしやる。夫との劇的な出会いを忘れ、どうでもいい男性との成就しなかった恋を、後生大事に心の真ん中にとっておいたりしていないだろうか。

あれだけ好き合って結婚したというのに喧嘩なんかしてと、実家の母親になじられた経験は、だれしも一度や二度はあるにちがいない。いつの間にか、気がついたときには結婚していたというカップルもいるが、それにしても結婚したのにはそれなりの理由があったはずだ。とくべつ好きなわけではないし、彼と出会う以前、もっと激しい恋をしたこともあるけれど、この人といると不思議と疲れないから結婚することにしました。一見おざなりなようだが、結婚の動機としてはこれが、意外に説得力があると思う。

ところが、一緒に暮らしてなん年か過ぎてしまうと、彼と結婚したのはタイミングだけだったのよと、多くの妻たちは、安易な結婚をして大損をしたような気になってしまっている。

地方に転勤していく先輩の送別会の後、二次会、三次会と続くうち、気がついたときにはいつの間にか、彼とあなたの二人っきりになっていたあのとき。お酒の酔いも醒めかかり、なるとはなしにいい感じ。ことの流れとして、その夜にはじめて結ばれたあなたと彼。

彼とのはじめての出会いが、先に結婚した同僚の新居を訪ねた帰り道だったかもしれない。友だちの新居がある最寄り駅の近くの喫茶店で、彼とはじめてお茶をした。

新婚カップルに当てられてしまったのよと思うのは、後になってからのこと。あのときの彼とあなたは、当てられたなどと冷静に考える余裕はなかったはずだ。駅の近くの喫茶店で一緒にコーヒーを飲んだ彼って意外に素敵だった、なんて思ったあなたはいなかっただろうか。

インターネットで知りあったカップルも、最近では急増している。親たちの世代にはコンピューター自体がなかったのだから、これこそ新種の出会いだ。きっかけがインターネットというと、出会い系サイトと勘違いする人も多いから、インターネットで知り合って結婚しますなんていわないでと、親に眉をひそめられてしまいかねない。

ところが実際にしてみればわかるが、インターネット上でのコミュニケーションというのは、親密度の点でもあなどれない。なによりも昔の人たちの結婚観よりは、インターネットで知り合って結婚にいたるほうがずっと思慮深い。なん十回もメールのやり取りをして、ようやくデートにこぎつけるのだから。それに、かなり早い時期にデジタル・フォトのメール交換もしているはずだ。

インターネット交際がいけないというのなら、昔はどうなんだ。祖父母の時代には、相手の写真があったならまだいいほうで、それさえもなく、縁談を持ってきてくれた人の話を鵜呑みにして結婚式に臨んだケースも多い。私の祖父母もその例だが、明治・大正生まれの人たちというのは、なんと冒険をしたのだろうか。媒酌人の講釈だけを信じ、顔をみたこともない相手との結婚式に臨んだ時代があったことを思えば、合コンにしろインターネットにしろ、私たちの結婚にいたるエピソードのほうが、なん倍も思慮深い。

そして今、あなたは当時のこと、彼と出会ったときのことを、すっかり忘れているのではないだろうか。

＊出会いにまつわるロマンは、どちらかが覚えていればいい

ご主人にしてからが、あなたとの出会いを忘れているというかもしれない。だが、出会いにまつわるロマンを、妻も夫も忘れるはずがない。よしんば忘れたとしても、どちらかが覚えていればいいことではないだろうか。

もちろん、二人して出会いの大切な日に花丸印のついたカレンダーを眺め、うきうきしているカップルもいるだろう。だが記憶喪失でもない限り、ハッピーな出来事なら思い出すきっかけがあれば必ず心に蘇るものだ。

以前、パリに住んでいたころのことである。フランス人でもそうなのかと、親友のマダムと話していて、私は驚いたことがあった。

私がそのマダムに用事があって、彼女のアパートに立ち寄ったその日の朝、彼女は夫に結婚記念日について確認したという。

「○月○日は、私たちの結婚記念日よ」

と、彼女は夫にいったそうだ。それまでの私は、フランス人の夫たちはゆめ、結婚記念日を忘れるはずがないと確信していたのである。結婚記念日を忘れるのは、釣った魚には餌がいらないと思っている日本の夫の専売特許だと思っていた。フランス人の男性は恋人の誕生日は絶対に忘れないものだし、フランス人の夫は、妻との結婚記念日のために早くから、レストランを予約したり旅行の計画を立てたりするものと思っていた。男性が大切な日を忘れでもしたら、フランスの女性たちは怒り心頭に発するはずだと、私は誤解していた。

マダムはいとも簡単に、私にこういったのである。

「彼は忘れたくて忘れてしまうのではなくて、思い出せないかもしれないもの。結婚記念日を忘れてしまったことに彼が気づいたら、それこそ悲劇ですもの。だから事前に、ちゃんと思い出させてあげなくちゃ。私が覚えていて、相手の非をとがめるのでは、喧嘩を売るようなものだもの」

いつもは愛がすべてと譲らないフランス女性がみせたパートナーに対する思いやりに、私は今さらながらアムールの国の大人の女性を感じた。私たちもマダムの心遣いをまねて、世の男性たちに、私たちとの出会いのときのことを思い出させてあげようではないか。

＊「私が愛した人だから仕方ない」

男性たちの弁護を、私はするつもりなどない。ましてやあなたに、古い世代が理想とした、陰で夫を支える賢夫人になれといっているのではない。というのもここで偉そうなことをいっている私にしても、おおよそ良妻とはかけ離れている。せっかちで日ごろから歩くのが速い私は、夫から三歩下がって彼の影を踏まないどころか、さっさかさっさか彼の前を歩いているからだ。その意味では、この本であなたに述べていることのすべてが、そのまま私にも当てはまっている。

今の世の中、夫に従うガマン強い妻たちなんてナンセンスだ。第一、頭でっかちな私たちに有無をいわせないで、黙ってオレについて来いなどと頼もしいことをいう夫など、そうやたらといるものではない。ごく稀にいたとしたら、自ら稼いだ札束で妻の口を封じているか、さもなければ弁論部の主将のようにケチのつけようがないほど理路整然とした論調で、妻をやり込めないと気がすまない性質の男性にちがいない。それとも従っているふりをして、ちゃっかり亭主を尻に敷いているよほど賢い妻かだ。

私たち女性はなにを主張しても、どんなに我を張っても、それで明るくて楽しい家庭が作れるのなら許されると思う。夫の愚痴を少々いうくらいなら、それもかまわない。夫の行儀の悪さをあげつらってもいい、彼の無関心さに文句をいうのも結構だ。あなたの愚痴も第三者が聞いたら、その人はあなたの夫に対するノロケに他ならないと思うかもしれないから。だが、夫と自分との関係に本気で後悔したとしたら、そこにあるのはむなしさだけだ。

後悔するなというのが無理ならば、彼との結婚を決めたのは他のだれでもない、あなたなのだということを自覚しておこう。腹の立つことがあったら、頭を抱えてしまうことがあったら、出会いを思い出すという点では、子供についても同じことがいえる。

子供は生まれて三歳になるまでに、一生分の親孝行をしてしまうという人もいる。おぎゃーと生まれ、はじめて笑ったあのときのことを思い出そう。この私もたしかに娘が三歳になるまでに、十分親孝行をしてもらっている。

あんなにいとおしかったのに、あんなに可愛かったのにと思ったとして、母親の私たちが用意できる次の句はなんだろう。勉強なんかできなくても、やっぱりこの子は可愛い。ちょっとばかり駄々っ子でも、まちがいなくこの子が可愛い。ああ、勉強なんかできなくてもいいや、仕方がないと諦めた次に、ニッコリ笑って食事の支度にとりかかろう。

本当にどうしようもなくダメな人ねと思っても、私が愛した人だから仕方がない。なんでこんなにいうことを聞かない子なのと思っても、やっぱり可愛いから仕方がない。夫や子供への諦めも愚痴も、もとをただせば、今が幸せならまあいいかと、いつの間にかプラス思考に変わっている。これこそが、女性の特権ではないだろうか。古くから妻や母親という立場の私たち女性は、こうしてプラス思考のスパイラルをかいくぐってきたのではないだろうか。

夫や恋人の前で、輝く女でいたい

おしゃれをして、パートナーと積極的にでかけよう

＊「着ていく服がない……」なんて、もういわない

他のだれの前でもない、夫や恋人の前で輝いていたいと、フランス女性は思っている。

そんな無理をするから、離婚が多いのではないかと勘ぐりたくなるが、それはそれ。結婚だけでなく同棲カップルの場合もまた、パートナーにとっての自分というものを、彼女たちは気にしている。

こういういい方をすると、女性が恋人の、あるいは夫の愛をつなぎとめるために躍起になっているように思われるかもしれないが、それもあながち嘘とはいえない。愛してくれる男性の期待を裏切らないという意味でも、彼女たちは日々、努力を惜しま

ない。

よそみをせずに、私をちゃんとみつめてよという彼女たちだから、当然身だしなみにも力が入る。ランコム、ゲラン、マダム・ロシャス、ロレアルなど、高級コスメのほとんどがフランス製なのも、彼女たちのたゆまぬ努力の賜物というわけだ。とはいえ、私のまわりのほとんどのフランス女性はスーパーや薬局で売られている、リーズナブルなお値段のモノを使っている。洋服やコスメにお金をかけたからといって、美しくなれるとは彼女たちは決して思わない。まして大金払ってエステに通ったからといって、美しくなれるとは思っていないのだ。

エステにお金を使うくらいなら、お芝居や映画を観て、女優のファッション・センスを学ぼうと、彼女たちは思う。それよりも面白い本を買って読み、感動で気分をリフレッシュしたほうが、お肌の色艶になん倍も効果があるにちがいないと、パリジェンヌならそう思うはずだ。

「着ていく服がない……」

妻のこのひと言を聞きたくないばかりに、妻を公の場所に連れていかないという夫が日本にはいる。フランス女性は絶対に、それはいわない。三六五日服を着ているというのに、どうして服がないのと、彼女たちならいうだろう。

「着ていく服がない……」というセリフを聞くたびに私は、なんとなく腑《ふ》に落ちない気がする。奥さんの服がないのは、彼女の夫のせいなのか。それでも毎日、彼の奥さんは裸ではないし、なにかしらの服を着ているではないか。お仕着せの服を着ている少女なら、洋服がないからおでかけができないといっても許されると思う。だが、生を受けて三〇年も四〇年も生きている女性が、でかけるために着る洋服がないというのはちゃんちゃらおかしい。ましてやそんなことは、夫である男性のせいなんかではない。

私もおしゃれが好きだし、だれだって女性ならおしゃれが好きにちがいない。だが、身体にまとう服の条件が暑さ寒さをしのげる以上の第一条件は、あなたに似合うかどうかに他ならない。どんな上等なトップモードの洋服でも、あなたに似合わなければそれまで。

園遊会のお誘いならいざしらず、あなた方ご夫婦と同レベルの人たちが集う会に出席するのに、特別な指輪もネックレスもいらない。それにエスコート役のご主人にしても、取り立てて高価なスーツというわけではないでしょうに。家ではあなたと同じテーブルでご飯を食べているご主人が出席できて、あなたが参加できないパーティーなんて、あるはずがない。

あなたの服はすべてあなたの夫が調達してきてくれるというなら、あなたがご主人とでかけるとき、着る服がないから彼に買ってきてといえばいい。そうでないなら、あなたが人前に着ていく洋服を用意するのは、あなたがしなくてはならないことだ。だから「着ていく服がない……」だけは、金輪際いわないで欲しい。そしてご主人と一緒に、親友の祝賀会へもワイン・パーティーへも、積極的にでかけよう。

ご参考までに、私の人前にでるときの服装を申し上げよう。私は今も昔も、パーティーのために特別な服を新調したことは一度もない。たまにしか着ない洋服のために、大枚を払うつもりはまったくないからだ。近くのスーパーやデパ地下の食品売場以上の外出はいつも、私はダークなスーツに決めている。娘の大学の入学式にも卒業式にも出席しなかったが、いったとしても手持ちのスーツを着たと思う。いくつか持っている大きめのブローチはそのつどつけるけれども、パンプスもハンドバッグもスーツのときは冠婚葬祭と兼用の黒に決めている。

皇室関係の催しに私が招待されるはずはないから、いくのは親友の出版記念パーティーとかシェフの新作料理の賞味会、フランス大使館での集まりや都内の大手ホテルでの肩が凝らないパーティーだ。イヴニング・ドレスとかカクテル・ドレスといった、仰々しいドレスでおみえのご婦人もたまにいらっしゃるが、ダークなスーツならオールマイティー、どこへいっても平気だ。少なくとも私は今まで公の場に出席して、一度たりとも自分の着ている服が粗末だと思ったことはない。

＊パーティー、レストラン、そして旅行。男性と女性はいつもペアで

フランスに限らずヨーロッパはカップル社会だが、女性たちがもっと頻繁に出席したら、わが国のパーティーも欧米に劣らずエレガントなものになるはずだ。男性と女性がペアだと、どちらもパートナーのことをより気にするようになる。女性にしても、同伴の男性の眼を意識するようになる。

パーティー会場だけでなく、公園にはじまってレストラン、ショッピングや旅行でも、パートナーといけば、今よりももっとおたがいのセンスは磨かれるにちがいない。あなたの個性が光るのも、そんなときなのである。

ヨーロッパの観光地を旅していて、たどり着いたホテルでがっかりした経験がある。気張って高いホテルを予約したというのに、部屋のドアを開けたとたん目に飛び込んできたダブルベッドが、旅の疲れを癒すどころか倍増させたからだ。

せめてツインにしてもらいたかったと、フロントに下りてホテルマンに交渉しても、たいがいの場合はこちらの願いはむなしく却下される。取り合ってもらえないどころか、夫婦で部屋を予約しながらツインにして欲しいという私の気持ちがわからないとばかり、哀れみを帯びた不思議そうな顔をされるのがオチだ。旅先で愛を確かめ合わないカップルがこの世にいること自体が、彼らには理解できないのである。レストランへいくのもショッピングも旅行も、フランスだけではなくヨーロッパではなにもかも男と女はペアなのである。

＊結婚しているフランス女性は夫とレストランにいくときおしゃれをする

東京に新聞社の特派員としてやってきたフランス人男性が、ジョークとして私に聞かせてくれた話がある。

彼が東京に赴任して間もないころ、麻布のフランス大使館の近くのレストランに入ったそうだ。オードブルをすませお肉を食べ、ようやく空腹感から逃れたころ、ふとまわりをみると女性客ばかり。はてな、日本にはトイレだけでなくレストランにも男性専門と女性専門の二種類あるのか、と思ったそうだ。まちがえて女性専門のレストランに入って食事をしてしまったのだろうかと、女性用トイレに入ってしまったときのように、そのとき店でただ一人の男性客だった彼は大いに慌てたという。そして彼はつけ加えた。食事中もまわりのお客さんから、やけにジロジロみられていると思ったと。

そのフランス人男性は、あんみつ屋さんでただ一人の男性客の心理を、東京で味わったにちがいない。ランチタイムに高級レストランが主婦たちでうずまるのは、世界広しといえども、日本だけの現象である。

フランスだけでなく、イギリスでもドイツでも結婚している女性は、夫とレストランにいくときおしゃれをする。そして彼女たちは、まず女友だちだけでレストランへはいかない。私たち日本女性は、女同士でレストランにいくときおしゃれをする。そしてたまにしか、夫とレストランへはいかない。

この二つにはなんの方程式も当てはまらないようだが、胃袋と日本人の食生活を加味することによって、すべてではないまでも次の結論が出る。

つまり、日本人の奥さんたちはウィークデーのランチに女友だちとイタリアンやフレンチをいただくので、夫のいる週末や休日は自宅で食事をすることがほとんど。またたは、ヨコ飯をいやがる夫のために、夫妻での外食はもっぱらお蕎麦かお寿司ぐらいなものである。そしてさらにうがったことをいわせていただくと、女性同士のときよりも夫と一緒のときのほうが、おしゃれもおざなりになりがちだ。

夫は会社の人との付き合いもあるし、接待で美味しいものも食べている。家庭の主婦だってたまには、学生時代の女友だちや子供の友だちのママたちとレストランにいってもいいし、コックさんが作ってくれる美味しいものを食べてもバチはあたらない。そう思うのになんの異論があろうか。

だからといって、夫と食事にいくとき、おしゃれに手を抜くのはもったいない。夫が会社人間で同僚との付き合いにまめだったり、接待と称して帰宅が遅かったりするのは日本的な習慣として受け入れよう。でもたまに、夫婦二人で食事にいく機会があったなら、そのときは目一杯おしゃれをして、夫をドキドキさせようではないか。

ドキドキするのは、むしろ私たち妻のほうかもしれない。「なにお前、どうしたんだよ、気取っちゃって」なんていわれたら、たまには私だっておしゃれがしたいといおう。本当はいつも女同士で食事にいくときにもおしゃれをしているのだけれども、そこのところは隠して、平然としなを作ってみようではないか。

子供がいても、いく先がファミレスだってかまいやしない。手がかかる盛りの子供たちがいても、夫と食事にいくときには工夫を凝らすフランス女性のことを、そのときは思い出してみよう。

「キミが世界で一番キレイだよ」なんて、日本の夫たちはいう習慣がない。子供たちに向かって、「ママが世界で一番キレイだね」とも、日本のパパたちにいえるはずがない。だからといって妻やママがぶっきらぼうでは、日本の夫婦の悪循環は止まらない。

たぶん生涯をともにする人だから、ちょっぴりフランス女性を見習って、妻として彼によりマシな姿をみせようではないか。できるだけ夫の前に身をさらし、彼にとって、もっとも気になる存在になろうではないか。そうなれば自然に、あなたは彼にとってより輝く女性になっているはずだ。

ちゃんとお化粧、してますか？

あなたの身近な人があなたをみて、気分がよくなるとしたら

＊口紅を直すポーズは、男性の誘いに応じる心の準備ができたシグナル

車内でメイクするのが、悪いことだろうか。

車内でタバコを吸うとか、お酒に酔って隣の乗客に絡む人たちの悪行にくらべたら、車内メイクのなんと他愛ないことか。

公衆の面前でコンパクトを取り出してすっぴんの顔に塗りたくり、口紅をつける彼女たちは、だれの目からみても決してスマートなものではない。なによりも、車内の揺れをものともせずに鏡にみ入り、アイラインを引くときの女性の無防備さを、アカの他人にみせていいものかと、私は思うのである。

彼女たちに向かって、羞恥心を持ちなさいというつもりはない。それよりも、寝起

きの顔が美女に変貌する神秘的でさえあるプロセスを、そんじょそこらの人間にみせてはもったいない気がする。女性がお化粧する姿をみることは、くもりガラスに透ける女性の入浴シーンを覗いたときと同質の興奮を、男性に喚起させるからだ。世の中の男性たちは、あなたがた女性がメイクをふき取った素顔をみるために、どれだけ苦労するかしれない。いずれにしても、ボーイフレンドとのデートに急ぐ車内で慌ててメイクしているのかもしれないし、会社の同僚や上司に素顔をみせたくないからという必然性があるのだろうが、今一度、このことの意味を検討してみる価値はありそうだ。

覚えておいて欲しいことは、車内メイクがあたかもエチケット違反であるかのようにいわれているものの、意識してか無意識かは知らないけれども、それは考えようによってはみている男性の高等戦術である。

そもそも、彼らのみたいという欲望をカモフラージュしたいがために、あなたがたの車内メイクを迷惑行為におとしめているとも、オバサンの私にはとれるのである。朝の通勤電車でそそくさとメイクするあなたがたと同じ車内に乗り合わせたことで、多くの男性はその日一日がいい日になった気分でいられることだろう。

レストランで食事を終えた女性が、おもむろに鏡をみながら口紅を直すシーンが、フランス人男性ならセクシーだということになっている。食後に口紅を直すなら、さっさと化粧室にいけばいいのに、あえて他人の目に触れる行為に出るのだから、そこにフランス女性の計算がなくてなにがあろう。もしも彼女が女性だけで食事をしていたとしたら、はたして彼女たちは口紅を直すだろうか。といってもフランスでは、そんな仮定はあまりにも愚問。

フランスでは、レストランで女同士の会食という事態は想定できない。美しくなくても美しくても、若くても老いていても、レストランにいる女性の横には必ず男性がいる。うがったいいかたをすれば、女性が男性からの食事の招待を承諾した時点で、彼女は大人の心積もりをするのが当たり前。

デザートが終わり、コーヒーをすすりながら口紅を直すポーズはそのまま、男性の誘いに応じる心の準備ができましたという、女性から男性に送るシグナルに他ならないからだ。

デートで食い逃げが若い女の子の特権であり、ともすれば勲章になってしまうわが国とフランスとでは、一食一飯の受けかたが異るといえばそれまでだが。

＊「素顔のままのキミがいい」は本当？

世界中のおしゃれなフランス女性が高く評価する資生堂の国だけあり、日本の女性はおしなべてメイク上手になった。

女性誌の多くも、メイク・テクに多くのページを割いているし、町にあふれるドラッグストアの商品棚にぎっしり並んだコスメの種類も、そのことを物語っている。車内メイクもそうだし、デパートや高級ホテルの化粧室で鏡に向かう女性たちのだれもが、化粧品メーカーから派遣された美容部員さながらのテクニシャンだ。

ネコも杓子もおそろいの眉毛、同じヘアースタイルでだれだか見分けがつかなくなってしまう傾向にあるけれども、それとて女性たちが流行に敏感だからのこと。まちがいなく日本女性は、世界でもっともコスメに出費を惜しまない人種だ。

ところがなぜ結婚を境に、彼女たちはメイクの手を抜いてしまうのだろうか。結婚しても仕事を続ける女性がふえているから、結婚を境にというのはよして、子供ができてからといったほうがいいかもしれない。

私の親友の女性は結婚するときにご主人になる男性から、「化粧する女と、タバコを吸う女は嫌いだ」といわれたそうだ。夫を心から信頼している貞淑な彼女は、夫の主張に同調し、長い結婚生活を通じ、お化粧をしない。それはそれで、夫婦が同じ価値観で暮らしているのだからいい。親友のご主人のように、「素顔のままのキミがいい」というダンナ様のために、お化粧をしない妻がいるのも、けなげでいいではないか。

ところが、そんな「素顔のままのキミがいい」なんて気の利いたことをのたまう御仁に限って（私の友人のご主人は絶対にしないが）、妻の目を盗んで浮気をしていたりする。

「キミはボクと結婚したのだから、今さら他の男たちに媚びる必要がどこにある」
「夫のボクが、キミは素顔のままがいいといっているのだから、化粧なんかするな」
「もう結婚しているのだから、化粧なんかしなくていいじゃない」
「化粧って、面倒なんじゃないの。どうせ家にいるのだから、わざわざすることないよ、化粧なんて」

そんなことをいう夫に限り、厚化粧の女性ににじり寄り、「ボクの奥さん、化粧が嫌いなんだよね」なんていいながら、その女性に彼女がつけている香水の名前を聞いてみたりするから、彼らの素行は人間喜劇を観ているようで面白い。

もしもあなたの夫がアンチ化粧派だといったら、どこに夫の本心があるかを見極めるのが肝心なことはいうまでもない。だがそれと同時に、あなたが本当はどうしたいかをはっきり知ることが、もっともっと肝心だ。あなたがお化粧をしないのは、夫が化粧をしなくていいというからなのか。ようやく意中の男性のハートを掴み、結婚にまでこぎつけたのだからもういい、お化粧で自分をより美しくみせようとしなくても、と思っているのか。それとも顔にはニベア以外のものはいっさい塗りたくないほど、あなたはお化粧するのが大嫌いなのか。

ここで私はみなさんにお化粧を奨励しているかのようなことをいっているが、本当にあなたがしたくないのなら、もちろんお化粧はしなくてもいい。

百円ショップやマツキヨ、オゾンのようなドラッグストアがあふれ、チープなコスメがそこらじゅうに氾濫している。しないほうが経済的などと思わず、以前のように積極メイクでいこう。結婚前のあなたがしていたように。

そしてたまには、彼と出会ったときのようにばっちりメイクで、会社から戻る彼を出迎えてみよう。

＊だれだって、身だしなみのいい人をみていたほうが、気持ちがいい

おしゃれについても、同じことがいえる。動きやすい働きやすい、家事がしやすいようにもいいけれど、ジャージばかりでは、独身時代に磨いたセンスも衰えるばかりだ。一度鈍ってしまったおしゃれの感度は、そう簡単には取り返せない。郵便で送られてきた従姉妹や学生時代の親友、ＯＬ仲間だった友だちの結婚式の案内封筒をみつめ、会場に指定されているホテルやレストランに着ていく服に、頭を悩ますことになる。

同窓会やクラス会に出席するのも一大事だ。さんざん考えた挙句に、一度しか着なそうな、その場限りの豪華な服を買ってしまうという、とても無駄な結果になる。日々の生活で、無駄なものは買わないことにしている締まりやさんのあなたにしては、なんともらしくない結果になってしまいかねない。

過ぎし日、会社帰りの着慣れたスーツの胸ポケットにコサージュを刺しただけで、同僚の結婚式に出席していた時分よりも高価なドレスを着ているというのに、出がけに覗いた鏡の中のあなたは、独身のころよりも野暮ったい女に変わり果てている。それもこれも、おしゃれと縁遠い日常のせいにちがいない。

数年前に出版したエッセーの中で私は、おしゃれの嫌いな女性はいないと書いた。自分で書いておきながら、もしかしたらおしゃれが大嫌いな女性もいるのかもしれないと思い、以来私は、外を歩きながらいつもキョロキョロ。

おしゃれの度合いについては個人差があるが、身だしなみのよくない女性に目が止まって仕方がない。なりふりかまわない人をみると、いったいこの人は、身のまわりをこざっぱりさせるのが心の底から嫌なのかと、しみじみ眺めてしまうのである。

ここで私がいうおしゃれとは、なにも高価なものや、ブランド品を身につけるといったおしゃれのことをいっているのではない。あなたに似合った、あなたの雰囲気に合ったセンスのいいおしゃれのことである。お化粧やおしゃれは、他人に自分をよくみて欲しいと思う心理がそうさせるという人がいるが、そうとばかりはいえない。可愛いとか、キレイだよといわれたくないかというとウソになるが、他人のためにメイクをしているわけでもなければ、おしゃれに気を配るわけでもない。自分自身、そのほうが気持ちいいからするだけだ。

もしもまわりに、いつも髪ボサボサ、どうでもいいなりをした人がいたとしたら、あなたはきっとこう思うだろう。もう少しだけ、身だしなみに気をつけたらいいのにと。だれだって、身だしなみのいい人をみていたほうが、気持ちがいいものである。ロビンソン・クルーソーではないのだから、あなたの身近な人があなたをみて、気分がよくなるとしたら、そのほうがいい。そして身だしなみをよくするうちに、徐々にセンスがよくなるものなのである。

夫たちの仕事着がビジネス・スーツならば、主婦のあなたにとっての仕事着も侮れないはずだ。あなたがセンスのいいミセスになるために、お金を使わずに気を使えばいいだけの話である。

女であること、それだけで魅力的な存在

積極的に、いるだけで色気ムンムンの女になろう

*いるだけで嬉しい、女性の存在

世の中の男性たちは夫たちも恋人も、独身男性たちもご老人も、私たち女性にもっと敬意を払おう。

もしも今、あなたの夫があなたと結婚せずに独身のままだったとしたらどうだろう。あなたと結婚していなければ、たまにはうるさいけれども、可愛いと思っている子供もいない。疲れて会社から帰った彼を待ち受けているかのように、その日にあったどうでもいいことをぐてぐてと喋っているあなたという妻がいない。彼が独身を続けていたら、家族で暮らしている今のマンションには住んでいなかったにちがいない。あなたと出会ったときのまま彼は、小さな1Kの賃貸マンション住まいに甘んじ

ていたのではないだろうか。

会社帰りに自販機に千円札を押し込み、ゴトンという音を確かめて、かがんでビールを取り出す。すぐ近くの、白々とした蛍光灯の光の中の広々としたコンビニで、ビールを買ったお釣りで陳列棚に並んだスパゲティー弁当かなにか買っている彼の、なんとわびしいことか。

もらった給料をすべて気ままに使える、同じ年の独身者が羨ましいと口ではいいながらも、そうなるのはごめんだとあなたの夫は思っている。もしも自分が独身のままでいたらと想像したことが悪夢としか思えない彼はその日、会社から一目散に帰宅し、キッチンにあなたがいることを確かめ、ついでにテレビの前にいる子供をみて胸を撫で下ろすことだろう。つまりそれだけ、世の夫たちにとってあなたを中心にした家庭の存在は大きい。

同じ独身でも女性と男性では、感じる悲哀に天と地ほどの差がある。中年の独身男性は文字どおりの悲哀を味わい、中年の独身女性は不安におののく。わが国が男性社会だからとか、雇用制度がどうのというのではない。女性を無視した男性と、男を向こうに回して勝ち誇った気でいる女性の独身者……独身者たちが吐露する真情は男女の住み分けのちがいだ。

どんなに妻がキャリアの仕事人間で、給料も夫のそれを上回っていたとしてもやはり、夫は妻と子供から安らぎをもらう。吸いつくように滑らかな妻の柔肌が、夫の手に、妻に触る悦びを無償で与えるのである。あなたの口から出る愚痴にしても、彼の知らない世界の裏話なのかと、同僚との人間関係に半ば飽き飽きしている夫たちにとっては案外、新鮮に聞こえている。

その意味でも女性のあなたがたにもっと、男性にいつも眩《まぶ》しい目でみられているという、自信を持ってもらいたいと私は思う。

この世の中には男性と女性しかいないのだから、価値というのは男性にとっての私たちの価値のことである。男性諸君にしてみれば、あんたたち女もオレたち男の価値を無視しているじゃないかといわれそうだが、そのとおり。

そこでこの際、私たち女性は男性の価値を、男性は私たち女性の価値をそれぞれ再認識しようではないか。といいながらもやはり、存在自体が価値を持つのは、私たち女性である。その証拠に有史以来、どれだけ多くの女性像が男性画家によって描かれたことか。美少年をモデルにした作品もないではないが、数の上では女性画とくらべるべくもない。

古代ギリシャ・ローマ時代の「ミロのヴィーナス」しかり。ラファエロは多くの聖母像を、ダ・ヴィンチはあの「モナリザ」を描いているではないか。ルーヴル美術館の壁面を思い浮かべるにつけ、女性を崇めて描かれた名作は数限りない。私たち女性は男性にとって、過去・現在・未来を通じて崇拝されてしかるべき、絶対的な存在であることの証なのである。

そしてもうひとつ、女の私にあるとき、女性のありがたさをこれぞとばかりみせつけてくれた人たちがいる。有無をいわせない女性の真価を、私はこの目でしかとみたのだった。

＊パリの路地で出会ったミューズ

石畳のパリの路地が交差する広場の真ん中で、彼女こそ世界で一番男性から愛されているのではないかと思えるようなミューズを、私はみた。

ボロボロの服をまとった数人のホームレスの集団の真ん中で、女王様のようにふるまっている女のホームレスが彼女だった。

はじめて彼女をホームレス集団の中に認めてから数年、私はなんども彼女たちのそばをとおった。食品の青空市が立つマルシェにいくには、その場所をとおる以外の道がなかったからだ。

フランス語を喋るとか、硬派で難しい新聞の「ル・モンド」を読むとからかわれているパリのホームレスたち。町が押しなべてキレイになると同時に、以前のような臭うほどのクロシャールと呼ばれるホームレスは減ったが、相変わらずパリの町の風物詩のひとつなのである。

「このワイン、美味しいから飲みなよ」

「このパン、ボクの分をあげる」

「今日のあなたは、だれよりも美しい」

「昨日はどこにいたの。ボクはあなたを一日じゅう探したんだよ」

ホームレスのオジサンが彼女にささやく、甘ったるい言葉がとおりすがりの私の耳元に届く。そんなセリフを聞くたびに私は、ささやいた主のオジサンと目を合わせたのだった。すると、照れながらホームレスのオジサンはいつも私に、ウィンクしてよこすのだった。

妻のありがたさを、ひいては女性の真価を身に沁みて感じろといいながら、パリのホームレスたちに愛されている女性のことをいっては、あなたに叱られるかもしれない。ホームレスと賢明な女性を一緒くたにしないでくれという、あなたの声が聞こえる。それも一理あるけれども、私がここであなたに声を大にしていいたいのは、地位も名誉も、仕事も家族も、なにもかもを失ってホームレスに身をやつした彼らたちにさえ、女性の尊厳があるということだ。

女性が一人いるだけで、ホームレスのオジサンたちがあれほど嬉々としていた光景が、二〇年暮らしたパリから東京に戻った私の記憶に、鮮明に焼きついてしまっているのである。

ホームレスというのがお気に召さなければ、西部劇によくある、荒くれガンマンたちがたむろする酒場の女給でもいい。ブスでも無愛想でも、そこにいてくれるだけで辺りの雰囲気を和ませる女性の存在を、だれも侮ることはできない。

パリのホームレスたちを眺めながら私は、今さらながらに私たち女性のミューズ性を確信したのである。

＊家族の安息の場所でも、花になろう

このことはわが国でも変わらない。最近は営業活動にＯＬがかり出されるケースがふえている。東京の町中でも最近、管理職の男性と若いＯＬがペアになって歩いているケースが目につく。クライアントに挨拶まわりをしているのか、男性と肩を並べて歩く女性のだれもがきちっとしたスーツ姿だ。そして男性は一様に、満面に笑みを浮

かべているではないか。男同士で営業まわりをするよりも、ＯＬと並んで歩いているほうがなん倍も楽しいと、紺やグレーの背広の後ろ姿が嬉しさを隠さない。仕事である以上、楽しいはずはないとご本人たちはおっしゃるかもしれないが、彼らの足取りはどこか軽々としている。

ハイキングやウォーキングしかりで、女性がいるといないとではメンバーたちの士気まで変わってくる。レストランにいくにしても居酒屋での飲み会にしても、ありとあらゆる場所で私たち女性が場を盛り上げる。

家の外では花になるあなたが、家族の安息の場所である家庭でも花になろう。チヤホヤされていた独身時代ばかりが、女性の開花期間では決してない。会社から一日の仕事を終えて疲れて帰宅した夫に、妻のあなたの持つ女性性がだれよりも安らぎを与えることができるのだから。

日々の雑事にかまけ、ともすれば自分が女性だということを忘れてしまっているあなた。重労働の家事をこなすには、女らしくなんてしていられないといい張るあなた。

ところが、どんなにあなたが女らしさを捨てたと思っても、まわりの男性からあなたはれっきとした女性だと思われている。

それならばいっそ、私たち女性は積極的に、いるだけで色気ムンムンの女になろう。なぜならばそれは、そこにいるだけで喜んでもらえる立場に生まれた私たちに与えられた、天賦の特権に他ならないのだから。

とことん話し、わかり合ってこその男女です
「愛しているよ」よりも「そうだね、それもいいかもしれないね」のひと言が大切

＊「仲が悪くはないけれども、特別よくはない」が大多数

世間の独身女性たちは結婚がすべてのようなことをいうけれど、とんでもない。結婚期間が長いというだけでベテラン主婦を主張する私にいわせれば、結婚は人生の序の口でしかない。

この世に生を受け、這って歩いてようやく幼稚園に通うようになった。小学校、中学、高校そして大学と進み、就職して一人の男性と出会い私たちは結婚する。それができちゃった結婚にしても社内恋愛であったにしろ、略奪愛でも不倫成就型でも、結婚にいたるプロセスがどんな形であったにしても、一人の男性とひとつ屋根の下に暮らしはじめるという点では、すべての女性たちが立つスタートラインは同じだ。もち

ろん人によって富とか教養といった付属品に多少のバラつきはあるものの、新生児がだれ区別なく丸裸で生まれるように、結婚を決心したときの女性たちの意識にちがいはない。口では、イヤだったらいつでも離婚してやるといってはいても、内心では横に並んでいる男性と、一生仲よくやっていこうと思っているはずだから。

女性の処女性を一笑に付し、自由恋愛という言葉自体が死語になった今だから、結婚にいたるプロセスも多様化している。インターネットお見合いでもなんでも、生身の男と女が市役所に婚姻届を提出した時点で、それまでアカの他人だった男性との新しい人生がはじまるのである。

あなたを産み、慈しんで育ててくれた両親の愛情と呪縛からようやく解放され、あなたのお父さんとお母さんが歩んできたように、愛する男性と自分たちの家庭を営もうとする、その決心こそが尊い。

仮に風俗関係のオシゴトをしていた女性だったにしろ看護師さんにしろ、一人の男性と添い遂げようと覚悟をして臨む結婚こそ、最高に神聖な行為といえるのではないだろうか。二一世紀の男女の価値観が混沌としている現在こそ、結婚の二文字がずっしりと重みをますのである。

*しょせんこの世は男と女。夫婦のありかたこそ肝心

だからこそ、せっかくした結婚を絶対におざなりにしたくない。セックスをすれば、子供が生まれて当たり前だった時代がとっくに終わったように、ある一定の年齢になれば結婚して当たり前の時代ではもはやない。あなたと同じ歳の独身がまわりにたくさんいる時代に、あなたはご主人と出会って結婚したのだから、なんとしてもあなたは、あなたの大事な子供さんもまじえた家族と、幸せになる権利がある。

それにはまずあなたの家庭が、あなたと夫が軸になって築いているという、当然だけれども忘れがちな部分を再認識する必要がありそうだ。

夫婦の絆というと古臭いと思うかもしれないが、天地創造から未来永劫、愛と信頼をおいて他にこれほど絶対的なものがあるだろうか。

縁あって夫婦になってからのお二人に必要なのは、あなたとあなたの夫の連携プレーだ。わが子に注ぐ無償の愛も、あなたとご主人の協力体制なくして生まれない。子は鎹《かすがい》というけれども、はじめに夫婦ありきの世界観があってもいいではないか。

しょせんこの世は男と女なのだから、夫婦のありかたこそ肝心だ。仲良し夫婦が理想なのは、だれもが百も承知だ。世間にはものすごく仲のいい夫婦もいないではない

が、私の知る限り夫婦仲のよさを公言するカップルは少数派。大多数の夫婦は自分たち夫婦のことをこういう。仲が悪くはないけれども、特別よくはないと。

昼日中、都心の公園を手をつないで歩いている中年のカップルをみると、私の夫は彼らが夫婦のはずがないという。手をつないで歩いている男女の熟年カップルは、彼にいわせればみんな不倫関係だという。仲が悪いわけでもない私たちが昼日中、手をつないで歩かないのだから、他の夫婦もそうにちがいないと彼はいう。逆説的なみかたをすれば、手をつないでいるカップルは夫婦ではないということになる。夫の意見に全面的に賛成しかねるものの、私にしても喧嘩しているわけでもないし、仲が悪いわけでもないとはいえ、急に夫と仲睦まじく手をつないで歩けといわれても困る。

そんなときだけ私は、日本人とフランス人は愛情表現がちがうのだから、日本人は人前で夫婦が手を握り合ったりしないものだといい張る。私たち照れ屋の日本人はおいそれと、夫は妻と、妻は夫と相思相愛の関係だということを、他人様にいえない種族なのである。

＊どちらともなく「ああ、そうね」の言葉がでればいい

世間に転がっているさまざまな問題に直面したとき、社会で最小単位を形作っている夫婦の連携プレーがうまくいっていると百人力だ。

あなたとご主人の親戚やご両親のこと、子供の学校のこと、ご近所付き合いのことやご主人の会社の同僚のことなど、二人の意見の一致をみて、どちらともなく「あぁ、そうね」の言葉がでれば、とても気持ちがいい。反対に、どちらともなく相手の判断に異論があるとしたら、結果は悲観的だ。

ご主人の反対を押し切って、子供を塾に通わせたにもかかわらず、成績がよくならないどころか落ちてしまったときなど、ご主人はきっとお腹の中でこういっている。「そーら、みたことか」と。挙句の果てにあなたは、子供を塾に通わせることに正面切って反対しなかったご主人にも責任の一端があるはずだと、彼の非をなじりもするだろう。そのうちに責任のなすりつけがはじまり、まちがいなく夫婦喧嘩に進展する。それもこれも、あなたとご主人が、おたがいが納得するまで話し合っていなかったからだ。

コミュニケーションの大切さはひとえに、夫婦間でこそ問われるものなのである。そしてそのためにも、なにはともあれ私たち妻は、一分でも多く夫と二人だけで過ごす時間を持たなくてはならない。

*甘いささやきより、おたがい納得するまでじっくり話し合う

考えれば考えるほど、コミュニケーションがうまくいっている夫婦がいいことずくめだという結論に、妻たちのだれもが到達するにちがいない。「愛しているよ」、「あなたが一番好きよ」といったセリフがスンナリと口からでてこない、私たちのような妻と夫にとって甘いささやきの代替は、おたがいが納得するまで話し合う密なコミュニケーションなのである。

夫婦がおたがいに責任をなすりつけることなく、じっくり話し合うことが、私たち妻には甘い言葉に匹敵するほどの快感になる。そのためにはまず、あなたとご主人の二人だけの時間を持つことだ。それも週末の昼間の、明るい時間に。

二人だけの時間なら、子供が寝てしまった後にとか、夫が帰宅した深夜にとあなたは思うかもしれないが、会社から帰宅した夫たちにしてみれば、アルコールを帯びた疲れた身体に妻から浴びせられる議論ほど嫌悪すべきものはない。それこそ彼らにしてみれば、時と場合を考えろと妻たちにいいかえしたい心境になる。だから、言葉のコミュニケーションは明るい時間でなくてはダメ。一日の終わりを意味する夜、会社から帰ってくる夫を待ってましたとばかりにキッチンの椅子に座らせ、議論を吹っか

けるようなまねは得策ではない。

キレるのは子供の専売特許だと思われがちだが、私から見れば母親たちがキレている。今やわが国でキレていないのは、夫たちだけではないだろうか。なにもかもに打ちひしがれて、夫たちはキレる勇気まで削《そ》がれているのかもしれない。

平日の夜は帰宅後の夫に、深夜番組なんかデレデレ観ていないで、お風呂に入ってからさっさと寝てもらう。夫と一緒のベッドにもぐりこんで、男と女の理屈ヌキのコミュニケーションに没頭できたとしたらベストだ。そして真面目な話し合いは明るい昼間の、頭がすっきりした時間に、妥協することなく侃々諤々《かんかんがくがく》、夫婦で心おきなくやりあおうではないか。

子供が外で遊んでいる時間でもいい。子供を実家のご両親に預けてもいい。あるいはなん組かの母子で相談し、子供を預け合う習慣をつけるのもいいだろう。

しつこいようだが夫婦はおたがいに、とことん話し合わなくてはいけない。今、あなたのそばにいる男性が他人なら、説得するのが面倒にもなるだろう。意見の齟齬《そご》をそのまま放置してもいい。その人が嫌いならばお付き合いを遠慮すればいいだけなのだから。ところが夫婦はそうはいかない。

妻のいうことを夫たちは、愚痴だとばかり決めつけてはいないだろうか。妻のあなたも休日の夫に、ご近所の愚痴、子供の愚痴ばかりいってはいないだろうか。夫の前で愚痴をいおうとする言葉をグッとこらえ、せっかくの時間なのだから夫婦の情愛をより濃厚にするチャンスだと思おう。

夫たちにしても、職場の女の子たちが相手なら、他愛のないことを喋っているのだから、休日くらい妻とまともに向かい合ってコミュニケーションに励もう。私たち日本の妻たちは、夫の「愛しているよ」という言葉よりも、「そうだね。それもいいかもしれないね」というような、私たち妻とのコミュニケーションを歓迎する夫のひと言で満足する。夫の理解と信頼に裏付けられた言葉によって、妻は、より美しい女性に昇華していくのである。

夫婦が丸いテーブルを挟んで向かい合い、コーヒーを飲む。居間のソファーに横並びに座り、ひとつ話題で盛り上がる。マンションのベランダの手摺に二人して肘をつき、眼下をとおる人たちの姿を眺めながらお喋りをする。ジーンズにポロシャツの、休日モードにどっぷり浸かった普段着で、二人で近くのスーパーに買い物にいく。

子供にこういい残すのもいいかもしれない。

「ママとお散歩にいってくるから、キミたちはお留守番していてね」

「ママとレストランにいくから、お留守番たのむよ」

そんな熱々カップルの姿を誇示しようではないか。

エンゲージリングが語りかけてくれること

婚約指輪が二人に初心を思いださせてくれる

＊心を失ったエンゲージリング

近くの宝石店のウインドーにある日、いくつもの新しい指輪が並んだ。ところがそのどれもに、肝心の中身がない。ぐるりをメレダイヤが囲んだ、プラチナのキャスティングと呼ばれる指輪の枠だけなのである。そしてその脇に置かれた手書きのポップに、こう書かれていた。「あなたも、婚約指輪をリフォームしてみませんか」

そのポップの文字を読みながら私は、真ん中のダイヤだけ同じで、衣替えして豪華になった指輪もまた、婚約指輪といえるのだろうかと、首をかしげたのだった。

指輪のリフォームを果たした奥さんがなんといおうと勝手だ。だが、ほとんどの妻たちが持っているにちがいない婚約指輪が、プレゼントしたときよりも枠組みだけ豪華になったのをみて、彼女のご主人たちはいったい、どう思うのだろうか。新しい指輪を買わなくてすんだと、内心ほっとするのだろうか。

その問いを女友だちにしたら、彼女はすかさずこういった。奥さんの指輪が変わったことに気づくダンナなんて、まずいないと思うよと。そして私はそのとき、複雑な思いにとらわれたのだった。

あなたにはないだろうか、いったからといって、どうなるというものでもないことを、当てつけがましく夫にいってしまうことが。

あなたと結婚する前に夫が付き合っていた女性のことを、しつこく話題にするあなた。結婚する前のデートでは、家事の分担に理解があるようなことをいっていたはずなのに、ちっとも食事の後片付けを手伝ってくれないと、ご主人をなじるあなた。そしてご主人についた悪態のダメ押しはいつも、彼の親兄弟の素行や育ちに対する悪口という具合に。

私にも、思い当たることがある。よくある話だが、私の場合は夫から指輪をもらっていないことを、結婚してから二〇年以上たった今も、夫を交えて友だちと喋っているとき、些細なきっかけで非難がましい口調であげつらうのである。婚約指輪はもちろん、結婚指輪ももらっていないということを喋りながら私は、あたかも悲劇のヒロインでもあるかのごとく主張する妻になるのだった。

本当は宝石にはまったく興味がないし、高価な時計が欲しいわけでもない。宝くじが当たったからと、夫からプレゼントしてもらえれば嬉しいし、喜んではめるだろう。だが、わざわざ自分たちが稼いだ大枚をはたいて、宝石店に出向いて買ってもらいたくない。独身時代ならいざ知らず、わが家の懐具合は私が一番よく知っているのだから。

ところが最近の私は、不本意にもこう思う。娘が結婚するときになって、フィアンセから指輪の一個ももらわなかったとしたら、きっと私はひと言くらい彼女に進言するにちがいない。婚約指輪くらい、買ってもらいなさいよと。

そこまでなら、娘を思う親心として許せる。そうではなく、私がいつになるかわからないような架空のことだとしながらも、恐れているのはこれだ。結婚を目前にした娘に向かって、せっかく買ってもらうなら、もう少し豪華な指輪じゃなきゃねといっている、欲張りな母親を演じているという悪夢である。

＊ブルジョワのマダム、シェラザードがはめていた粗末な指輪

そんなことを考えていた私は、フランスに残してきた親友の中で、とりわけリッチな女性のことを思い出して、心から反省した。婚約指輪も結婚指輪ももらっていない私が、社会人になりたての娘がもらうかもらわないかも未知の指輪のことなど、金輪際考えまいと誓ったのだった。

宝石店のウインドーを覗いたのをきっかけにして私は、美しい彼女のことに思いを馳せたのである。

ブロンドの髪にグリーンの眼をしたシェラザードという、一風変わった名前の彼女は、私の数少ないパリ右岸に住む親友の一人である。

オペラ座もヴァンドーム広場も、凱旋門もシャンゼリゼ大通りも、パリの右岸にある。左岸にあるのはソルボンヌ大学とリュクサンブール公園、パンテオンとムフタール市場。引っ越しを重ねながらも私たちは、ずっとパリ左岸のごみごみしたソルボンヌ界隈に住み続けていた。最近でこそサンジェルマン・デ・プレは人気だが、ひと昔前のパリならセーヌ左岸は、貧乏インテリが住む地域というのが定評だった。

大企業の重役や、外国の国家機関に籍を置く官僚や、景気のいいビジネスマンが好んで住み、おしゃれなマダムたちが多くいるセーヌ右岸よりも、大学集中地区だから若者がひしめいている左岸が私は好きだ。映画館や書店、カフェがたくさんあり、なんといっても歩いていて気楽だ。

優雅なブローニュの森の入り口。印象派の巨匠、クロード・モネの作品だけを展示するマルモッタン美術館のすぐそばに住んでいるシェラザード。高級住宅地一六区にしかいないような、シェラザードはシックなマダムだ。

学生時代に結婚して長男を産んでいたので、四〇歳になるかならないかの彼女には、大学生の息子を頭に、三人の子供さんがいる。冬ならカシミヤのセーターにスエードのスラックスと、やはりカシミヤのブレザー。パンプスとおそろいの、赤いショルダーといった装いが、私の記憶の中の彼女のスタイルである。そして極め付きが、いつも欠かしたことがないベルベットのヘアーバンドである。ご主人のジャン・ジャックはベンツだったが、彼女はルノーの小型車。私が当時乗っていた車と、色も年式も同じモデルのクリオだった。女性誌でよく、パリのブルジョワのマダム取材のページがある。シェラザードが登場したら、もっと素敵なページになるのにと私が思うような、日本人の私たちがイメージするパリのマダムそのものの、なんともエレガントな女性なのである。

優雅さという点では服装も物腰も、非の打ち所がないのにたった一ヵ所、彼女の雰囲気にそぐわないところがあったのである。シェラザードと彼女の夫と私たちは、休日の午後におたがいの家を頻繁に行き来した。そんなときに彼女は、マニキュアを欠かしたことがない白くて細い指にいつも、かなり高価な指輪をはめていた。その日の洋服に合わせて、エメラルドのこともルビーのこともある。ご主人からのプレゼントかどうかを、私はたずねたことがない。

ところが稀に、彼女にしては質素な、道に落ちていてもだれも拾わないような粗末な指輪をしていることがあった。そしてそれは紛れもなく二〇数年前、ジャン・ジャックが将来の妻にプレゼントした、エンゲージリングだった。

ある日の午後のこと。彼女にしては地味すぎる指輪を眺めながら、シェラザードがいった。現在ではわが国でも、結納式をする家族が少数派になったように、フランスでも一部の敬虔なクリスチャンでもなければ、婚約式をしなくなった。私たちの世代が結婚したときはまだ略式ながらも結納式をしていたから、シェラザードとジャン・ジャックもしたのだそうだ。その席でのことだったと、緑茶で羊羹を食べながら、笑いながら彼女がいった。

「この指輪をはじめてみたときのママの顔、今でも忘れないわ。パパはママが卒倒するのではないかと思ったって、後になっていったわ。ママの顔色がみるみる青ざめたのを知って、ジャン・ジャックがそのときにいったの。ボクは今、これしかシェラザードにプレゼントできないけれども、次にはもっと彼女を喜ばせるって。これはそのときの、約束の指輪なのよ。だから私は、結婚十周年とか四〇歳のお誕生日には彼におねだりする。記念の指輪が欲しいから、買ってと」

その話を聞いて私は、婚約指輪の本当の意味に気がついた。

ときの経過とともに私たちは、初心を忘れる。もしも指輪をリフォームしてしまったら、周囲が豪華になって別物になった指輪はあなたに、婚約当時のことを思い出させてくれない。それどころか、ご主人がやっとの思いで買ったはずの指輪も、古びた枠だけになってしまったら、あなたになにも語りかけてくれない。

私たちもシェラザードにならって質素な指輪のリフォームを思いとどまろう。それよりも慎ましやかな婚約指輪の代わりに、新しい指輪をおねだりしよう。気が利くはずのフランス人のジャン・ジャックでさえ、おねだりしなければ買わない指輪を、日本人の夫が催促なしで買うはずがない。

第二章

いつまでも 男と女でいるために

フランスでは、一人の女性を挟んで、
過去と現在の二人の男性が
仲良くお喋りをする光景も日常茶飯。

あなたの恋愛寿命を延ばしてみませんか

妻や夫、子供や孫がいればこそ、できる恋もある

*年齢不問のフランスの男女

お刺身や焼き魚なら、新鮮なほうがいい。ところが牛肉は、腐る寸前が美味しい。果物にしても、よく熟しているほうが甘い。あまり熱いと、料理も本当の味がわからない。

女性もそうで、若い女の子は可愛いけれども、それだけ。女の私がいっているのだから、これほどたしかなことはない。元来、同性をみる目のほうが厳しいはずの女の私がいっているのだから。ロリータ・コンプレックスかなにか知らないけれども、わが国の男たちは女は若ければいいと思っている。もしかしたらお刺身が好きな日本人のDNAのなせる業だろうか。

昔の人はいいました、畳と女房は新しいほうがいいと。だが、誤解しないで欲しい。新しい女房がいいといっているのであって、若い女房がいいとはいってないということを。

一夫一婦制のもとでは女房は一人だが、恋人はなん人いてもかまわない。私たちのような既婚者同士が恋に落ちるには、タイミングがよほど合わないことには難しい。そこで私たちもせめて、プラトニックなだけの恋でもいいから、新しい男性との出会いに期待したい。スズメ百までとはいかないまでも、せめて六〇歳か七〇歳まで、私たちの恋愛寿命を延ばそうではないか。

＊口説きたいのは、一筋縄ではいかない大人の女性

その点でも、フランス男はとてもお利口さんだ。子孫繁栄を意識するのなら、セックスの相手に出産可能な女性を選ぶ必要がある。だが、子供を産んでもらいたいと望まないなら、彼らは恋の相手に若さだけを求めたりはしない。プラグマティック（実質的）な彼らは、恋人には自分を心身ともにより楽しませてくれる相手をさがす。私がこういってもあなたは、気取ったフランス人男性が自分の恋人を選ぶのに年齢不問のはずはないとお思いになるだろう。それならばここでひとつ、説得力のあるエピソードをお聞かせしよう。

パリでの二〇年間、私は日本の出版社からの依頼仕事をしていた。ロケバスを借りての地方取材も結構あり、その場合に私は運転を若いフランス人に頼むことにしていた。というのも私は、今でもそうだが、自分の小型車しか運転できないからだ。フランスは若年失業率が高いから、私のまわりにはなん人も車の運転が得意で定職がない若者がいた。年配の男性よりもギャラは安くすむし、若いからフットワークも利く。かといって重い荷物の運搬も遠慮なく頼めるから、雑用係を兼ねた運転手は若いに限る。だから私には常時、数人のハンサムな運転手の友だちがいたのである。そんな彼らと私は、裁判所の地下に私が借りていた駐車場までいく間に、同じアパートの住人や娘の学校の先生、父兄たちとたびたびすれちがった。

いつもなら私と顔を会わせると立ち話をする友人が、いつもなら必ず挨拶を交わす知人の視線が、青年といる私を確実に避けた。つまり、若くてハンサムなフランス人と肩を並べて歩いている私のことを、完全に無視したのである。無視ではなく、そしらぬふりをしたといったほうがいいだろう。つまり私をよく知っている彼らはことごとく、私に若いフランス人のアマン、恋人ができたと誤解した。

だから彼らが知っている私は、私が運転を頼んだ青年の数だけ恋愛をしたと、今でも思っているにちがいない。そんな彼らのだれ一人として、次に私と会ったときに件《くだん》の青年たちのことを話題にした人はいないし、うわさにもならなかった。日本式にいえば私には、公然となん人もの若いツバメがいたことになる。

フランス人は、イージーなアムールをもっともバカにする。それでは、イージーな恋愛とは、どんな恋愛のことなのか。退屈しきったマダムで、相手を選ばないような女性とのセックス主導型の恋愛が、男性にとってイージーでなくてなんだろう。あるいは、可愛いだけで、彼の親友たちとの会話にまったくついていけないような女性との恋愛は、イージーというよりもまわりの仲間に徹底的にバカにされる。いつもウィ・ウィ、ハイハイと、男性のいうことに二つ返事で応える女性を可愛いと思わないわけではないけれども、彼らはやがてお人形さんのような彼女たちに飽きてしまう。

反対に少しぐらいわがままでもいいから芯と癖がある、一筋縄ではいかないような大人の女性をみつけると、彼らは猛然とくどきたい意欲にかられる。それが大人のフランス人男性の、女性をみるときの習性なのである。

＊時間とお金は自分の輝きを保つために費やす

いくつになっても、その気にさえなれば恋の相手に不自由しないフランスだから、女性たちの真剣さにも拍車がかかる。

女性たちばかりで昼日中、ランチを食べる時間とお金があったら、美容院にいって髪をセットし、おしゃれをして一人で出かける。大学時代の男友だちと会うこともあれば、以前勤めていた会社の同僚でもいい。彼女たちにとって時間とお金のコスト・パフォーマンスとは、夜のディナーと同じお料理がランチなら半額で食べられるという計算ではない。時間とお金は、いかにして自分の輝きを保つかの恋愛指南のために費やされる。

ありのままの彼女が好きだと、シワこそあなたの美しい経験の賜物だと、フランスの男性たちはナチュラル志向の女性を絶賛する。流行の最先端をいくシャネルやジヴァンシーのドレスもいいけれど、ボディーラインがくっきりと出た洗いざらしのニットを着た女性はとくに魅力的だという。それなのになぜ、世界の高級コスメはことごとくフランス製なのかしら。ゲランもランコムも、マダム・ロシャスもフランス製。エイジレスをうたった基礎化粧品も豊富だ。それになんといっても、自国のファッシヨンの優位性を、当のフランス人は譲らない。高級コスメとブランド品はともに、フランスの外貨獲得の貴重な輸出品でもあるからだ。

そういえば私のパリの親友はだれも、高級コスメを愛用していない。ヒグチやマツキヨみたいになんでもありのファーマシーではなく、れっきとした薬剤師がカウンターにいる薬局で売られている、リーズナブルなお値段の化粧品を愛用している。洋服にしても自他ともに認めるおしゃれ上手の彼女たちの多くが、手に取ったブランド品は眺めるだけでブティックの棚に返し、アウトレット専門のお店で自分に似合う掘り出し物をさがす。

ありのままのキミが好きだ、素顔のままのキミがいいといいながら、恋人が気張っておめかししたときとか、ヘアースタイルを変えたときを絶対に見逃さないのも彼らだ。それでは素顔が好きだという彼と、髪のカラーリングやアイシャドーの色、いつもとメイクを変えた彼女のちがいを見逃さないでほめる彼の、どちらを信じたらいいのかなどというのは、それこそ愚問。二枚舌どころか、相手の女性を喜ばすためなら、三枚でも四枚でも平気で舌を使い分けるのが、フランスの男性なのである。

男性がそうなら、フランス女性だって負けてはいない。仕事がオフの週末はジェーン・バーキンのようにコットンのワイシャツにジーンズ、すっぴんナチュラル・メイクで決める。あるときは背筋をしゃんと伸ばしてシルクのブラウスに香水をふりかけ、ときにはリセの先生のようにきりっと硬い感じのスーツを上手に着こなしてみせる。フランスの女性たちは、それぞれの舞台に合わせてイメージ・チェンジに挑戦をいとわない。

それもこれも、いつもとちがった自分を恋人にみせることで、おたがいの恋心にさらなる炎をともすためのモチベーションなのである。

＊横に並んで椅子に座る恋人たち

恋がしたい、もっと愛されたいとつぶやくフランスの男と女。

「ラ・マラディー・ダムール」という、だれもが知っている有名なシャンソンがある。マラディーが病気のことで、アムールが恋のことだから、訳せば「恋の病」という題の歌だ。

歌詞がまたふるっていて、七八歳、白髪のかわいい女性が恋をしたい、恋をしたいと訴えるという内容の歌である。わが国にも女は灰になるまでという言葉があるが、フランス人はまさに地でいく。

「恋の病」に罹りたいと切に望む男女はまた、第三者を恋の小道具に使うすべに長けている。コーヒー一杯飲むにしても、恋人同士なら座りかたにも工夫を凝らす。じっとおたがいの眼をみつめあっているだけでは、どんなに燃え上がった恋もやがては冷めるだけ。そこで一計を案じ、恋人たちは横に並んで椅子に座る。

道行く人たちを品定めするためにガラスに向かって横に並んで座りながら、キミこそすべてと彼がいい、あなたが素敵と彼女がささやく。目は外を歩く人を追い、口では隣の彼女に優しい言葉を投げかける。どんよりと重く灰色の雲が上空をおおい、凍《い》てつくパリの町を背中を丸めてとぼとぼ歩くホームレスを、二人の四つの眼がゆっくりと追う。復活祭を境にパッと春めく町を、待ってましたと歩き回る幼子たちを愛でる彼らの眼差しがいつしか、娘や息子が小さかったころの思い出話につながる。もちろん幼かった子供たちの両親の片われは、そのときカフェで横にすわっている人ではない。

真夏の昼下がりのカフェで、たまにはシャンパンでもいかが。そう提案したムッシュがこういう、キミが生まれなかった今日に乾杯と。そしてマダムはこういう、あなたのセンスのいいジョークに乾杯と。

冷たい外気のせいで、水蒸気が張りついたガラスの向こうを、大きなデパートの包装紙にくるまった、クリスマスのプレゼントを抱えたパリっ子たちが足早に通り過ぎる。その年最大のイベントを目前に控えた、町角のカフェ。それぞれに別々の家庭を持った二人の恋がこのまま、来年も再来年も続きますようにと祈る、初老のカップルがいる。

あなたが結婚していたら、恋人にあなたの夫の話をすればいい。あなたの恋人の、彼の妻の自慢話を聞いたらいい。あなたにも彼にも子供がいたら、子供をダシに楽しく話を盛り上げる。孫が可愛くない人はいないのだから、恋人と孫の写真をみせ合えばいい。

それもこれも、妻や夫、子供や孫がいればこそできること。人生の年輪を美しく刻んでこその人生だと思えば、仕事も恋愛も友情も、すべてが生きる歓びにつながる。フランス人の好きな言葉、ジョワ・ド・ヴィーヴル（joie de vivre）そのものである。

男友だちと二人で出かけてみませんか

世の中に半分いる男性とまともな会話ができないなんて、人生の損失

＊パートナーに自分の過去を洗いざらい語るフランス人

フランスは過去・現在を通じてアムール、愛の国だ。だからといって人々の頭の中が、セックス一色に塗り込められているわけではない。彼らが愛のために生きるといって憚《はばか》らないのは、愛がなくては生きていけないということを意味している。

生きていけないのは彼らフランス人だけではなく、人類は愛がなくては生きていけないと彼らは主張する。愛の大切さを人類全般に敷衍《ふえん》するのが、フランス人という人種なのである。

どんなに厳格な親でも、リセと呼ばれる高等学校に子供が通う歳になれば、子供に恋人の一人もいて当たり前だと思っている。それが女の子で、彼女が大学生にもなれ

ば、好きな男の子と一緒にいたい、一緒に暮らしたいといい出したとして、両親は決して驚かないし、それが自然だと考える。それは男の子でも同じで、彼が大学生にもなれば、好きな女の子と一緒にいたい、一緒に暮らしたいといいだしたとして、なんの不思議もないと、厳格なはずの両親にも心の準備ができている。

男の子でも女の子でも、自分たちが産み、育てた子供がホモセクシュアルでない限り、子供もやがては異性を愛し、愛する人と一緒に暮らしたいと思うのが当然だと、親たちは考える。かつて若かったころの自分たちがそうであったように。

愛の普遍性を説く彼らは、過ぎ去った愛もいとおしげに守る。過去があってこそ今の自分があるのだから、かつて恋した人への恨みも感謝もひっくるめて、自分を育ててくれた愛を大事にする。それも過ぎ去った愛を心の奥底にしまいこむことはしないで、白日のもとにさらけだす。隠し事は卑怯な人間がすることだと認識する彼らは、ありのままの自分を語るときに、彼らが通り過ぎてきた愛の遍歴のすべてを語る。

もっとも、フランスに痴情事件がないわけではなく、アムールを謳歌しているからといってフランス人の心に嫉妬や憎悪、怨念が宿らないはずはない。フランス人はアカの他人の政治家や芸能人のゴシップを茶の間の話題にしないだけで、自分たちが主役の男と女のどろどろとした愛のドラマが大好きな国民でもある。

パートナーに自分の過去を洗いざらい語るといったが、語るのは今、目の前にいる異性を心から愛している自分の履歴書である。なにかにつけて表と裏を巧みに使い分ける人たちは、あえて本音と建前という言葉を使わなくても、いっていいこととい わないでいたほうがいいことをわきまえている。真実をいわないことは、ウソをいうことにはならないからだ。それがパートナーに対するエチケットだということを、だれもが知りつくしているからだ。

パリの親友宅でのパーティーで、私はなんども、そしてなん人もの親友の過去の恋人たちに出会った。離婚した夫や妻のことを、彼らはX夫、X妻という呼び方をする。夫のことはマリ（mari）だからX mari、つまりエックス・マリ。妻のことはファム（femme）だから、X femme、つまりエックス・ファム。

おしとやかなマダムに彼女のエックス・マリを紹介され、気難しそうなムッシュに彼のエックス・ファムを紹介された。マダムやムッシュの過去の愛人や過去の夫や妻を知ることで、いっそう彼らに対する理解を深めたのだった。

同じサロン（応接間）にX夫がいても、その晩のマダムの横には彼女の現在進行形のパートナーがいる。彼女の再婚した夫だったり、アマン（恋人）のこともある。ひとりの女性を挟んで、過去と現在の二人の男性が仲良くお喋りをする光景も日常茶飯なのである。もちろん、一人の男性を挟んで、過去と現在の二人の女性がいる光景もありだ。

愛に生きるといって憚らないフランス人だけあり、生まれて死んでいく人の一生の間で彼らは、日本人の私たちよりも確実に多くの時間を恋愛のために費やす。週末のパーティーの席で過ぎ去った愛の残り香を漂わせるところなど、誠心誠意で愛を満喫している証拠である。

＊たまにはボーイフレンドと他愛ないお喋りを楽しもう

ところで今のあなたには、あなたのご主人も認める男友だちが、なん人いるだろうか？

専業主婦の私に、男友だちなんかいるはずないじゃない。だいたい、男の人とお付き合いする機会も時間もありゃしない。夫を会社に送り出してから会う男性といったら、宅配便を届けにきてくれる男性とスーパーの店員さんと……、なんてあなたは思っていないだろうか？

幼稚園からずっと共学で過ごし、ＯＬ時代は毎晩のようにボーイフレンドたちと飲んだり食べたりしていたあなた。ご主人と出会い婚約したころから、なんとなく彼らと疎遠になった。結婚式がすみ、新婚時代に自宅に招いた友だちは、ご主人の同僚かあなたの独身時代に仲がよかった女友だちだけ。それでも子供が生まれるまでは会社に勤めていたあなたはきっとボーイフレンドたちと、たまには会っていたかもしれない。それも出産を機に、彼らと会うことがなくなった。そして気がついたときには、あなたのまわりから男性の影がなくなっていた。

かつてのボーイフレンドとの関係が、ご主人に説明できないのではなくて、説明するのが面倒だったから、しだいに彼らと疎遠になった。それがあなたのような主婦たちの本音にちがいない。いつの時代になっても男女の友情なんてありえないと、世の中の夫たちが思っているということを感じている、お利口さんのあなたが無意識にそうすることを望んだ結果でもある。そしてあなたは、子供と同じ幼稚園に通う子供のママたち、小学校に通う子供のママたちや、地域活動で一緒になる女性たちとばかり付き合う毎日を過ごしている。

夫以外の男性と二人だけで、対等におしゃべりをする機会がないまま、いつの間にか奥さんトークになっているあなたが、そこにいる。

奥さんトークがよくないといっているのではないが、たまには○○さんの奥さんとか、○○ちゃんのママを家にしまい、一人のあなたに戻って出かけてみよう、男友だちと二人で。

いや、三人でも四人でもなん人とでもいいから、異性を交える他愛のないお喋りをしながら食事をしたり、お酒を飲んだりしたらいい。

そしてそのときになって、あなたはいつもの奥さんトークとは異なる、独身時代に話していたのと同じトーンの言葉遣いをしている自分に気がつくにちがいない。

奥さん仲間とのお喋りの楽しさも捨てがたい。男性社会にしがらみがあるように、奥さん同士にも避けて通れない付き合いがある。だが、それはそれとして上手に交わし、一方で男性たちとも平然と話せないようではおかしい。世の中に半分いる男性とまともな会話ができないなんて、人生の大いなる損失だ。

もしもあなたが専業主婦になっていなかったとしたら、今のあなたはどうだったろうか。今よりも大勢の男性と丁々発止やりあっていたのではないだろうか。慣れというのは恐ろしいもので、女同士のお喋りしかしないでいると、いつの間にか奥さん仲間としか話せなくなってしまうものだ。日ごろから鍛えておかないと、脈絡のある話もできなくなるし、男性と互角にものをいうこともできなくなってしまう。

子供が大きくなったからイザ、外で働こうかと思ったときになってあなたは、社会性が欠落してしまっている自分に気づき、愕然とする事態にもなりかねない。そのためにも日ごろから、夫以外の男性たちとの話術を鍛えておく必要がありそうだ。

＊男と女のエチケット

そしてもうひとつ。夫以外の男性たちとの付き合いがあなたに、夫と子供がいる幸せな家庭の存在をはっきりと認識させてくれる。

刻々と過ぎていく時計の針を眺めながらシンデレラになった気分で、早く帰らなくてはと思う。遅く帰ったところで、ご主人に叱られないことはあなたにはわかっている。だからといって、「遅く帰ったことを、なぜ夫に叱られなくてはならないの」とか、「どうして夫に私をなじる権利があるの」なんて、家のキーを回しながらあなたが思ったとしたら、子供と留守番をしてくれていたご主人に対する冒瀆だ。

久しぶりに旧友に会って、楽しくお喋りをしているあなたのことを心配しながらもご主人は、あなたのボーイフレンドの存在を無理にでも許容しなくてはならないと自分にいい聞かせているからだ。

それもこれも、ご主人は心からあなたを信頼している証拠だ。その晩にあなたが会っている男性が、あなたの昔の恋人だったかもしれない。焼けぼっくいに火でもついたらというような一抹の不安があろうと、そんなことはおくびにも出してはいけないと、夢うつつで彼は思っていたかもしれない。

そんな彼の思いに答えるためにもあなたは、自分の立場をしっかりと認識しなくてはいけない。なん年ものブランクを一晩で埋め合わせようとしてでもいるように、夢中でお喋りをしていた男性に対するエチケットがあるように、ご主人とあなたの間にも、エチケットがある。親しい人の信頼を傷つけないという、男と女のエチケットが。

さて、夫と妻という立場をわきまえ、男と女のエチケットを習得して、今までよりも積極的に外の世界に出て行こうではないか。

日々、仕事を通じて切磋琢磨している夫と足並みをそろえて、あなたも一人の大人の女性としてさまざまなジャンルの人たちと接して、世の中を知ろう。

最新のパソコン操作ができることや、商業英語が流暢に喋れることだけがキャリアではない。夫さえも一目置くような、心弾むウィットに富んでいながら世の中のことがわかる、魅力的な女性になることもまた、女性としてのスキルアップだ。

パートナーを尊重していますか？

「不特定多数の女の子と喋るくらいなら、パートナーと話すべきだ」

＊首尾よく結婚した男女は、おたがいを大切にしなくてはいけない

非婚時代とか、結婚しない女たちがとかく話題になる昨今。彼女たちを語る多くのエッセーが書店の店頭に並び、女性誌がこぞって彼女たちを特集する。おかげで私はいろいろな媒体を通じ、とくと独身の彼女たちについて勉強させていただいた。私の友だちの女性たちの多くは独身だし、独身の娘もいる。それになんといっても女の私にしてみれば、同性が今どういう状況に置かれているのかが、とても大きな関心事でもある。

幸せには絶対量があるという人がいる。一人の人生にもたらされる幸も不幸も分量が決まっていて、人によって不平等はないというのがその説だ。理想的な男性にめぐり会い、人が羨む結婚をしたとする。するとその人は、生まれてから死ぬまでに一人の人間に与えられている幸せをそれで使い果たしているから、できのいい(世間的に)子供に恵まれなかったとしても、仕方がないのだという。

……そういう考えかたも、ある意味ではいいかもしれない。楽あれば苦ありで、あきらめがつくから。だが、それではまるで運命論者のようで悲観的すぎる。

それよりも私は、受験や就職試験、恋人探し、結婚や出産など、人生の要所要所で神様でも仏様でもいい、うまくいきますようにと祈りたい。もしもうまくいったら、必死に祈っていたときの自分を忘れ、無神論者に戻ってまた次の難関にチャレンジする。

いずれにしても、これだけ独身者が世の中にあふれているのだから、首尾よく結婚した男女は、否が応でもおたがいを大切にしなくてはならない。日常生活ではなるべく、must や have to といういい方はしたくないのだが、たまにはいいだろう。

＊「どうして日本の男たちは、パートナーを尊重しないの?」

東京で私のパリ時代の友だちの友だちのフランス人男性と話していて、彼が私にいったことで、今も記憶に残っていることがある。

ワイン専門の仲買会社の副社長をしている彼は、真面目すぎもしないし、不真面目でもない。ハンサムでもなければ、ブ男でもない、ごく普通のフランス人。フランスでは取りたてて女性にもてるタイプではないが、東京の町でみるとなかなかイケてる。フランスならどこにでもいる、目立たないはずの彼が、東京の喫茶店では際立ってシックにみえる。フランス人の彼と一緒にいるだけで、この私まで注目を浴びていたのが、痛いほどわかったのである。その彼がフランスへ帰国する前夜、おすし屋のカウンターで私と日本でのビジネスの話や日本女性のことなど喋っていたときに、いみじくもこういった。

「どうして日本の男たちは、パートナーを尊重しないの？」

たった一週間だけしか東京にいなかった彼が、どうしてそう思うようになったかという経緯を聞きたいと思った。私が説明するよりも、そのときの会話を再現したほうが、リアリティーがありそうだ。彼の名前はステファンだから、イニシャルをとってSにする。私は葉子だからYである。

S：どうして日本の男たちは、パートナーを尊重しないの？

Y：いつ、どこで、どうしてステファンはそう思ったの？

S：いくつかあるけど、東京に来て驚いたのは、彼らが奥さんや恋人に相談せず、週末の使いかたを勝手に決めてしまうことだ。奥さんは会社に勤めていないらしいけど、週末はおたがいにとって、とても大切な意味を持つ日のはずじゃないかな。少なくとも、夫は平日は会社にいっているでしょう。土曜に食事をしようということになったときも、彼らは奥さんや恋人を連れてこなかったし、いつもそうだといっていた。他にも驚いたのは、キャバクラに誘われたことだ。

Y：ステファンを誘ったのは、だれなの。

S：ボクのクライアント。一〇年以上のお得意さんで、デパートの仕入れ部長。彼がボクに、もっとも日本的でエキサイティングな場所に連れていってくれるといって、入ったナイトクラブがシブヤのキャバクラだった。

Y：たしかにフランスにはないでしょ。それで、どうだったの。

S：はっきりいって、ぜんぜん面白くなかった。どうして大勢の男たちが、奇声をあげているのか不思議だった。店内は臭いしきたないし、ものすごくうるさい。可愛い女の子たちがたくさんいると仕入れ部長はいったけど、ボクはそうは思わない。あんなところにいっただけでも、ボクは恥ずかしいと思う。薄暗くて臭い箱の中で、相手かまわずメチャクチャなことをいうなんて、まるで場末の娼婦街だ。仕入れ部長は女の子たちは娼婦じゃなくて、れっきとした家のマドモアゼルだといったけど、ボクはそうは思わない。ノーマルな若い女性が、お金をもらって大勢の男たちに触られてキャッキャッいうはずがない。キャバクラにいく時間があるのなら、奥さんと一緒にいるべきだと、ボクは思う。呆れたことに彼女たち、ボクがフランス人だというだけで、キャーキャーいった。

ボクは彼女たちに相手をしてもらわなければならないほどハングリーじゃない。不特定多数の女の子と二時間も喋るくらいなら、パートナーと話すべきだ。キャバクラで働いている女性をどうのというつもりはない。だいたいあんなところにいくこと自体パートナーに失礼だと、日本の男性は思わないのだろうか。

＊癒されたいなら、パートナーに癒して欲しいといえばいい

ステファンのいうとおりだと思う。風俗文化なんて、まことしやかにのたまう輩がいるが、キャバクラに文化なんかない。

セクシーなドレスを着た若くて可愛い女の子と脈絡のないことを喋り、ワーすごいとか、ワー素敵なんていわれて自尊心を満たす男たちの、なんと幼稚っぽいことか。手取り足取り母親の庇護のもとで育った過保護なボクちゃんにしてみれば、頭を空っぽにして、どうでもいいことを喋っていられる。料金を払っているのだからなんの遠慮があろうかと、なんでもいえてしまうのだから、まさにパラダイスだ。それも若い女の子の柔肌に触れるとあれば、男性たちはウキウキ。お持ち帰りでもできれば、女の子を口説く面倒なプロセスもいらない。

風俗ライターがどんなに声を大にしてキャバクラやピンサロ、ソープに文化があると叫んだところで、私は納得しない。そこにあるのは、女性と密なコミュニケーションをとるのが面倒だと思っている怠け者や、女性にもてるはずがないと自己嫌悪に陥っている臆病者と、彼らにサービスする女の子たちがあげる奇声の坩堝《るつぼ》と化したソドムだ。

風俗産業にはまる男性たちをこれ以上バカにすると、パリのサン・ドニやピガールで世界的に知られる娼婦街が、フランスにもあるではないかといわれそうだ。たしかにフランスにもドイツにもオランダにも、世界じゅうどこの国にも娼婦街がある。娼婦は人類史上、初の女性の職業だともいわれる。だが、わが国のピンサロやソープで働く女性たちと、はっきりと一線を画している。パリの路上で稼ぐ彼女たちは徹底したプロ意識の持ち主だからだ。それに彼女たちは優良な納税者でもある。先のステファンの憤りも、そこにある。性の捌《は》け口の娼婦街ならよくて、なぜキャバクラがいけないのか。前者の娼婦街の是非はともかくとして、必要悪としておこう。キャバクラについては、必要悪というには幼稚すぎる。キャバクラをこのまま温存しておいたら、日本の男性たちの多くが今よりもさらに低能になる。

世の中には男と女しかいないのだから、そんな低能な彼らを相手にしなくてはならない私たち女性は、どうしたらいいのか。キャバクラ通いの幼稚な男性に嫌気がさすのは当然だが、それだけではすまない。それならばホストクラブはどうなのだといわれれば、答えははっきりしている。

ホストクラブは銀座のバーの女版。若くて美しい女の子に、社長さんといわれて鼻の下を長くしている男性と同じで、若くてハンサムな男の子に、魅力的なマダムですねといわれてはしゃいでいる女性客がいる。つまりホストクラブも銀座のバーも、ともにウソで塗り固められた擬似社交の場にすぎない。オジサンやオバサンの懐にあまった余分なお金が、お金が無い若者たちに還流していると思えば、それでいいじゃないか。

夜の街でネオンに彩られたキャバクラのドアを開ける前に、男性たちにもう一度、自分の妻や恋人のことを真剣に考えてもらいたい。

大人の見識をかなぐり捨て、幼稚なだけのキャバクラに入り浸る男性を、まともに相手にしなければならない女性はたまらない。仕事で疲れているのは、男性も女性も同じだ。癒されたいなら、パートナーに癒して欲しいといえばいい。

あなたと彼は出会いがないといわれるこのご時世、ようやくめぐり会えた男と女。いくら理解しあっても、わかりすぎても、困るものではないのだから。

パートナーと「愛」に満ちた関係ですか

大切なのは、セックスが潤滑油になるような、大人の男女の愛

＊好きな言葉は「アムール（愛）」

パリに住んでいたころ、日本の雑誌の取材で多くのフランス人にお会いした。政治家もいれば有名デザイナーもいたし、三ツ星レストランのシェフたちもいた。これぞパリのブルジョワ・マダムといった感じの女性たちのお宅を訪問したり、彼女たちが主催するガーデン・パーティーを覗いたり、同じようにゴージャスなマダムやマドモアゼルに会ったりもした。正統な古典劇ばかりを上演するコメディ・フランセーズの優等生俳優や、ソルボンヌ大学の教授に会ったりもした。ワイン作りに命をかけているブルゴーニュのブドウ農家の人たちの情熱に感動し、人里離れた山の中の木工所で働く職人さんの話も聞いた。

数え切れないメチエ（職業）の人たちとの取材を終えて、その場をおいとまする際に私はよく、彼ら彼女らにこう最後の質問をしたのだった。

「あなたが一番好きなボキャブラリー、単語はなんですか」

円滑を意味するフリュイド（fluide）という言葉を挙げる人が数人いた。寛容を意味するトレランス（tolérance）という人もいた。そんなときに圧倒的多数の人たちに支持されていた言葉がアムール（amour）、つまり「愛」という言葉だった。

数年前になるが、国別セックス回数のデータがどこかの週刊誌ネタになり、ちょっとした話題になったのをご記憶ではないだろうか。あのときの数字によると、フランス人のセックス回数が他国を引き離し、ダントツに多かったのには笑えた。二〇年もパリに暮らし、彼らの生態を知っている私はその数字をみて、妙に納得したのである。

＊不倫が妻たちの領分にも入り込んできた

大昔、私が結婚したばかりのころだから、二五年以上も前に聞いて、いまだに記憶に残っている話がある。

大手出版社の編集者たちと六本木で焼肉を食べていたときのことだった。一人の三

○代の男性が、さも自慢げにこういったのである。家庭にセックスは持ち込まないと。

そのときはまだ私も恥じらいがあったし、夫婦のセックスについてなんの意識もなかったから、その男性の話もそのまま聞き流していた。当時はまだ、不倫ではなく、浮気という言葉がまかりとおっている時代だった。そしてなによりも、男性主導型の夫婦関係、男女関係だった。そこに居合わせた男たちの話を聞きながら焼肉を食べながら、夫婦ってそんなものなのかなと反論もせず、無知な私は黙々とお箸を動かしていたのだった。

あれから日本は激変した。バブル経済は私たち日本人の家族形態、ひいては男と女の立場までも逆転させてくれたのである。今となっては、かつて焼肉屋で私の男友だちが豪語した、家庭にセックスは持ち込まないというセリフは、世の夫たちはまちがってもいえない時代になった。セックスの主導権はもはや、男性の特権ではなくなってしまったからだ。不倫という言葉も、男女のセックス観を大きく塗り替えてくれた。夫たちが妻以外の女性と睦まじく愛を育むのもけっこうだが、夫以外の男性とアヴァンチュールを楽しむ妻たちの存在もある。

日本の演歌の歌詞をみれば一目瞭然だが、ひと昔前、夫たちの不倫相手といえばホステスさんや芸者さんといった水商売の女性たちだった。仕事を終えてから繰り出す夜の街でのときめき、つまり浮気である。

浮気という言葉が不倫になっただけの話にちがいないものの、夫たちが相手にする女性はOLといった素人さんになった。と同時に、不倫なら私だってと、世の妻たちも名乗りをあげた。つまり、夫たちだけの戯れのロマンスのはずの浮気が、妻たちの領分にも入り込んできたというわけである。

もちろん世の男性、女性があまねく不倫をしているとはいわない。ごく限られた、一部の男女の間のことであって、そんなことには無縁の、ごく普通の夫婦がほとんどである。ただ、伴侶とのセックス以外の可能性が、万人のものになったのはたしかである。不倫という愛の形が、普通に日常生活を営んでいる男と女に、恋愛の起爆剤としての要素を提供している。

お父さんだって、不倫ぐらいできるかもしれない。お母さんに好きな人がいてもおかしくないと、一夫一婦制で硬直した男女の倫理観に風穴を開けてくれたと思えば、不倫という言葉もあながち無駄ではない。夫と妻のいきづまった愛欲の果ての不倫は、あだ花だともいえるのではないだろうか。

＊フランスには家庭内別居も家庭内離婚もない

そのことを裏付けるかのように、フランスには芸能人や小説家でもなければ普通の人たちには、不倫文化がない。というと、こういわれそうだ。それは、ウソだと。サルコジ大統領が離婚と結婚をくりかえし、はたまた同棲しているではないかという非難の声が聞こえる。ところがよくよく考えると、非難どころか大統領といえども一人の男性として、正直者のような気がする。愛がなくなるたびに結婚を解消し、新たな愛に挑戦し続けているバイタリティーを、ぜひとも国政に反映させていただきたいものだ。

結婚してからなん年たっても、妻は夫の最愛の女性を演じているし、妻は夫を愛している。愛というものを決しておざなりにしないフランス人にとっては、夫婦こそ愛の絆で固く結ばれている生涯のパートナーなのである。

それではなぜ、フランス人に離婚が多いのかと反論されてしまうにちがいない。私のまわりのフランス人カップルも、そのなん組かは離婚した。なにかの事情で愛がさめてしまったカップルのゆく先は、離婚しかないからだ。真剣に相手を愛すればこそ、愛を失った男女を待ち受けているのは別れ。家庭内別居とか仮面夫婦とか、家庭内離婚といった共生の妥協策は、フランス人の価値観には存在しないからだ。とはいえ彼らにも、婚外セックスはれっきとして存在する。フランスだからといって、絶対によそみをしないかといえばウソだ。

おたがいに愛し合っていると自他共に認めながらも、降ってきたチャンスを無駄にしない夫や妻たちがいる。夫を愛していると神に誓いながらも、妻を愛していると神に誓いながらも、平然と妻以外、夫以外の異性とセックスを重ねる。そんなケースがときとして起きるのが、子供の学校のPTAなのだから驚きというか、フランスらしい。

いつもは仲睦まじい夫婦でいながら、平然と子供の親友のママとお付き合いをしている夫がいる。または、いつもは敬虔なクリスチャンですとでもいいたげな母親が、よりにもよって子供の友達のパパと逢瀬を重ねる。

あたかも映画の世界のようにフランスらしいが、この場合に交わるのはあくまでもカラダで、心ではない。彼ら彼女たちの真実の「愛」についての優先順位は、子供の母親や父親。つまり彼ら彼女たちの真実の「愛」の相手が彼ら彼女たちの夫であり妻だということに揺るぎないからだ。

そのためには妻子のいる夫のセックスの相手は平和な家庭のマダムで、子供をきち

ん と育てている母親である必要がある。同じように夫子供のいる妻のセックスの相手も平和な家庭のダンナで、子供を立派に育てている父親である必要がある。おたがいの身の安全をいうなら、子供同士が同じ学校に通っているということ以上の保証はない。

だから私はあえて精神と肉体の分離派として、元気な彼らを眺めているのである。平和裏に進むこの手の婚外セックスについては、私たち日本人では太刀打ちできそうもない。恋愛には相当なエネルギーがいる。肉体も精神も、ともにフランス人ほど逞しくはないからなのではないかと、なん組もの純粋不倫の現場を目撃しながら私は思ったのである。

男と女しかいないこの世の中を再認識するという意味では、肉体と精神の分離愛もアリではないだろうか。私たちも今一度、パートナーとの愛について、真剣に考え直す時期にきていると思う。

もしかしたら、あなたがとっくに醒めてしまったと思っているあなたとあなたの夫は、信頼関係を築くに十分すぎる愛に満ちた関係を保っているかもしれない。

恥ずかしがり屋の私たちだから、フランス人のように愛しているという言葉を相手にいえないだけなのかもしれない。フランス人の専売特許になっている愛という言葉は私たち日本人にとっても、この世で一番大切なものにちがいないから。もちろん愛でも、キリストの無償の愛なんかではなくアムール。セックスが潤滑油になるような、大人の男女の愛である。

パパとママの部屋、それは憧れの愛の部屋

夫婦の寝室から締めだされた子供たちは、一日も早く大人になりたいと願う

＊早く大人になって愛し合いたいと願う子供たち

「ボクも早く大きくなって、パパとママみたいになるんだ」

「私も早く大人になって、パパと結婚するの」

フランスの子供たちのだれもが、パパとママに憧れる。男の子はパパのようになって、大好きなママと結婚したいと願う。女の子はママのようになって、素敵なパパと結婚したいと願う。大きなダブルベッドで、抱き合って眠るパパとママみたいに、自分も早く大人になって、愛し合いたいと願うのである。

フランスの子供に限って、男女の愛の営みを知って生まれてくるわけではない。幼子が男女のセックスの意味など、知るはずもない。

フランスの子供たちは物心がつく以前から、人生で一番大切なものは愛だと断言する大人たちの言葉を、子守唄がわりに聞いて育つ。パパとママが愛し合って自分たちが生まれ、だから美味しいものが食べられ、暖かいベッドにも眠れる。人間はパンのみで生きるにあらず、愛があるから生きていけるのだと、大人たちが幼子相手に唱えるわけではないけれども、日々フランスの子供たちは、人を愛することの大切さを肌で感じて大人になるのである。

まだ、字も読めない子供たちが実に楽しそうに、パパとママのことを喋るのを幼稚園の行き帰りに、そしてわが家に遊びにきた子供たちからよく聞いた。幼い彼らが大人の私に話してくれたのではなく、開け放された子供部屋のドアの向こうから聞こえてきた、舌足らずの幼児語で喋る子供たちの話に、私がこっそり聞き耳を立てていたのである。

パパとママは裸でベッドで寝るのよというのを聞いて、三歳やそこらの女の子が両親のセックスシーンを覗いたのかと、最初は耳を疑った私はやがて、彼らが見聞きしている世界こそ、この世の中の無限の幸せを象徴しているということを知った。

幼稚園帰りの娘を遊ばせに連れていった近くの公園の砂場で、または幼稚園の小さな遊び場で、子供たちはよく、同じ話題で幼児語会話の花を咲かせていたものである。

女の子「うちのパパとママね、裸で寝ているのよ」
男の子「ボクのパパとママも、ベッドにいるときは裸だよ」
女の子「いいな、パパとママ。パジャマを着なくてもいいんだもん」
男の子「パパとママは、愛し合っているのだから、パジャマを着ないで裸なんだ」
女の子「いいな、パパとママ。私もパジャマ着たくない」

＊いかなる場合も、フランスでは夫婦同室

フランスの子供たちが抱く両親の寝室への憧れは、彼らがこの世に生を受けたときから植えつけられる。産院の新生児室からママに抱えられ、パパが運転する車に乗ってはじめて自分の家の匂いを嗅いだときから、赤ちゃんの全身にそのことが刷り込まれる。

新生児であろうと中学生になっていようと、子供は子供。家族のベースになるのは夫と妻。夫婦という形を約束しあった一対の男女であって、子供からパパやママと呼ばれるためにいるような、夫婦の姿を借りた父親と母親ではない。密着した夫と妻の関係の前では、ときとして子供さえも締めだしを食らうことになる。ある意味では悲哀にも似た、締めだされた子供のぼやきが、家々の子供部屋から聞こえてくる。

自分の家に帰ってきたボクは、その日から子供の仲間入り。パパと一緒に寝室の大きなベッドで安らかな眠りについているママを呼ぶために、ボクは力の限りを振り絞って泣かなくてはならないんだ。パパとママの寝室のドアが開く音を聴いて、ボクは泣き止もうかと思ったけれども、やっぱりやめて泣き続けたんだ。だってボクが静かになったことを知ればママは、パパの待っているベッドのある部屋に戻るに決まってる。だからボクは、ママがボクを抱き上げてくれるまでは、安心して泣き止むことができないんだ。

ママの産休が終わり、会社にいくようになったら、そんなボクのわがままは通じない。ちょっとやそっと泣いても、ママはボクのところにきてくれない。たまにパパが子供部屋のドアを細く開け、ボクがすやすやと眠っているのを確かめにきてくれることはあってもね。そのころにはボクにも生活のリズムができて、おいそれと夜中に目覚めて大声で泣くことはしなくなる。だからたまに、嵐や雷の凄まじい音がすると、怖い怖いと大声で泣きながら、おおっぴらにパパとママの部屋に飛び込むことができるんだ。

暴風で窓ガラスが壊れそうな音を立てていたり、雷がピカッと光ったりする夜だけ特別にボクにも、パパとママの寝室のドアを開けることが許されるからだ。ボクがパパとママが寝ている大きなベッドの横で泣きながら震えていると、いつもパパが飛び起きてくれる、裸でね。ところがパパは、震えているボクを抱いて子供部屋に連れ戻すだけ。もう雷がやんだから寝なさいといって子供部屋の明かりを消し、さっさとパパはママが待っているベッドに戻っちゃう。でもいいか、ボクだって大きくなればパパみたいに、ママと一緒に眠れるのだから。

いかなる場合も、フランスでは夫婦別室はありえない。どちらかがチフスとかコレラに罹ったというなら話は別だが、長い人生を通じて彼らは片時も寝屋を別にしない。教会での結婚式に神父様がおっしゃったように、病めるときも苦しきときも助け合う。だから一方では、離婚が多いという逆説が成り立ってしまうわけだ。

＊産褥期の妻をいたわるのは夫の役目

赤ちゃんをつれて産院から自宅に戻ったばかりの妻は、夫と慣れ親しんだダブルベッドにもぐりこんでほっとする。そして夫は、出産という大役を果たして帰ってきた妻を、心からねぎらう。産院から赤ちゃんを連れて実家に直行して、ひと月も母親の世話になる妻は、フランスにはいない。

もしもそんなことになったら、まず実家のお母さんは娘夫婦のことを案じる。生まれたばかりの赤ちゃんの面倒をみるのは、娘夫婦たち以外にいないし、産褥期の娘をいたわるのは娘の夫の役目に他ならないからだ。いくら実家の母親が暇にしているといっても、そこまではちょっかいをださない。

産婦が専業主婦で、上の子供が託児所に通っていない場合は、仕方なく実家の母親に手伝ってもらうことはあるが、たいがいはパパが上の子供の面倒をみる。夫婦が望んで作った子供だもの、夫婦が協力して育てて当たり前。親や友だちに助けてもらうのは、やむを得ないときに限られる。

子供をギャルドリーと呼ばれる託児所に預けている共働き夫婦なら、妻が二番目、三番目の子供の出産で家を空けても、話は簡単だ。パパが子供をギャルドリーに預けてから、会社にいく。その上に幼稚園児がいたらその子供を幼稚園に、小学生がいたらその子供を小学校に連れていってから、出社する。そして会社帰りにパパが、子供たちを連れて帰宅。

子供の食事の支度や入浴など、彼はてんてこ舞いの忙しさにちがいないが、それもこれも家族のため。愛する妻が出産のために、病院で大変な思いをしていることを思えば、夫がそのくらいのことをしても当然だ。夫婦で赤ちゃんを作ろうと決めた時点で、予測できなかったことではないからだ。夫婦といったが、赤ちゃん誕生に関しては同棲カップルも夫婦とちがわない。出生率が戻ったことが大々的に報じられているフランスでは、赤ちゃんの四〇％が非嫡子として生まれる。結婚していようがいまいが、男女が愛し合い、子供を持つ決意をすれば、生まれてくる赤ちゃんの処遇にちがいはない。ちなみにわが国の場合は、赤ちゃんの九九％が、法的に結婚した夫婦から生まれる。

フランスでは十四歳未満の子供は、総合病院にはお見舞いにいけないことになっている。町のホームドクターや小さいクリニックならOKだが、大きな公立病院などはご法度。院内に充満する病原菌が、抵抗力の弱い子供に感染する危険を避けるためである。だから、ママが赤ちゃんを産んでも、幼いお兄ちゃんやお姉ちゃんは、残念ながら面会にいくことができない。パパだけが足繁く通い、ママの必要なものを届けたり、話し相手になったりする。そして産婦が入院している一週間に、夫婦の親兄弟や親友が大挙し、彼女と赤ちゃんの誕生を祝ってお見舞いに病院を訪れるのである。

赤ちゃんを産んだママたちにとっては、病院にいる一週間がモラトリアム期間になる。この一週間が明けて帰宅した暁には、めまぐるしいばかりの毎日が待ち受けていることを、だれもが知っているからだ。ママの枕元には退院までに、持ちきれないほどのぬいぐるみやベビー用品がたまることになる。そして自宅では、赤ちゃんベッドが置かれるのは、新生児のうちから子供部屋だ。

働くお母さんの産休の取り方は、人それぞれだ。バカンス期間と続けて取ることで、半年近くも会社が休める女性もいる。フランスの子供のお誕生日が七月に集中しているのも、そのためなのである。

母親の産休が明けたら、新生児でもギャルドリーと呼ばれる託児所に預けられる。深夜の授乳も、ママが仕事場に復帰するころまでにはなくなる。フランスでは、新生児といえども子供として、夫婦の寝室から締めだされる。まちがっても夫婦と子供が川の字になって寝ることは、フランスでは考えられない。

子供たちはひたすら、ドアの向こうのパラダイスに憧れ、一日も早く大きくなりたいと願う。パパとママみたいに、大きなベッドで裸で愛し合いたいばかりに。

第三章

優しさは女の武器

家族には、なにはなくとも語らい、
憩いの場所としての居間が必要だということが、
フランス人のＤＮＡに刷り込まれている。

あなたの笑顔が家族を和ませる

深呼吸をしてニッコリ笑って、夫の、子供の話を聴こう

＊「不機嫌家族」になっていませんか

ハーイ、鏡の前でニッコリしてみましょう。

今日がいい日でありますように、笑顔でいられますように。いつの時代も、笑顔は女性のシンボル。あなたの笑顔が、どれだけ家族の心を和ませることでしょう。

朝起きて、私は低血圧とばかりに不機嫌な妻。ベッドの枕元に置かれた時計の針を眺めながら、重い頭で睡眠時間を逆算する夫。学校に遅刻するからとたたき起これ、不承不承ベッドから抜け出す子供。テーブルの上に置かれているのは、まだ開けていないパック牛乳と菓子パン。

ネクタイを結んでいる夫に、あなた今晩の夕飯はとたずねる妻。家で食べるといい

たい言葉を呑み込んで、食事はいらないという夫。子供からお金ちょうだいといわれただけで、なに買うのとつっけんどんにいい返す母親。黙って学校にいく子供、疲れた背中ででていく夫。毎朝、この家にとげとげした慌ただしい空気だけが充満する。笑いがひとかけらもない「不機嫌家族」の一日が、またはじまる。

道を歩きながら、引きつった顔の母親がぶつくさと、幼い子供に小言をいう。二言目には「早くしなさい、早くしなさい」と子供をせきたてる母親たち。早くしろといわれた瞬間は小走りになる子供も、やがては以前のままにスピードダウン。急がされることに子供たちは、慣れっこになっているからだ。

でも、考えてみて欲しい。立ち上がるとか歩くとか、どんな些細な動作にしても、行動を起こすときには大人でも理由づけがいる。たとえば会社に遅れるから早く歩かなくてはいけないとか、玄関のベルが鳴ったからドアをあけるというように。大人の私たちにしても、なんの目的もなかったら身体は動く体勢にはならない。子供にしてもそうで、早くしろといわれても、そうしなくてはならない理由がわからなくては、急ぐ気が起きなくて当たり前だ。

道ですれちがう母親たちが早くしなさいと、子供をせっついている光景にでくわすたびにお節介な私は、母親たちにこういってあげたいと思う。

子供にガミガミいいなさんな。ほらあなたの子供は、どうしてママに叱られなくてはならないのかわからず、キョトンとしているではないか。早くしなさいといわれても、どうして急がなくてはならないかがわからないから、子供はいっこうに早足で歩こうとはしない。そしてついでに、そんなに怖い顔で子供をせっつくかわりに頰の筋肉を緩めて、にこやかに子供に話しかけてごらんなさいと、ついいってみたい衝動にかられるのである。

「もう少し、早く歩いてくれないかしら。ママは早くお家に帰りたいのよ。だってパパがお腹を空かして会社から帰ってくるでしょう。だからそれまでに、ママはご飯の支度をしておかなければならないの。パパと美味しいご飯を一緒に食べようよ。だから急いでお家に帰らなくっちゃね」

ところが、どんなに阿修羅のように目を吊り上げても、子供にとって母親はかけがえのない存在にちがいない。早くしろ、早くしろと理不尽にせかせる母親の後を、ちょこまかした拙い足取りで、子供はついて歩く。道ゆく親子を眺めるたびに私は、子供とはなんとありがたいものなのだろうかとつくづく感心する。

だからこそ、お母さんたちよ、もう少し子供に笑顔を向けてあげなさいよと思う気持ちが募るのである。健気な子供の気持ちを思うならば、おのずと母親の顔にも笑みがこぼれるというものだ。

日が暮れて、そろそろ一日が終わりに近づいたころ。お母さんと子供が手をつなぎ、「赤とんぼ」かなにか歌を口ずさみながらノンビリと歩いている光景が、懐かしく私のまぶたに蘇る。電信柱がまだ道路わきに並び、お豆腐屋さんの低いラッパの音がどこからともなく聞こえていた。買い物籠をぶら下げたお母さんは、いつもにこやかに微笑んでいた。子供も同じように、なんだかとても幸せそうではなかったか。セピア色した私の記憶の中の親子には、いつも微笑が絶えなかったような気がする。

こうしたほのぼのとした子供と母親の心の交流を、ノスタルジーのなかに封じ込めてはもったいない。小学校の四年生くらいになって、子供が塾に通うようになるまでのほんの数年のことなのだから、子供と近所を歩くときくらい、にこやかなお母さんでいてくれと、私はあなたがたに切にお願いしたい。

＊女性たちから笑顔が消えた

笑いを忘れたのは、母親だけではない。世の中の女性たちも、以前よりも笑わなくなった。

ヘラヘラ笑っていては沽券にかかわるとばかり、多くの女性たちから微笑みが消えた。成人した女性たちばかりでなく、女子中学生からも女子高生からも、ここにきて急激に笑いが消えた。

私が住んでいる場所はＪＲ飯田橋駅の近くで、界隈はちょっとした中学・高校の集中地区である。電車がプラットホームに入線してくる前に私は、近くで立ち話をしている女子生徒たちのお喋りに聞き耳を立てる。

今さらいうまでもないが、彼女たちの男子生徒顔負けの荒々しい言葉遣いに驚かされる。私が日本を留守にしていた二〇年間に変わったことといったら、町の様相もさることながら、彼ら若い女の子たちの言葉遣いである。

これだけ少子化が進んでいるから、女の子たちのだれもが母親予備軍とはいえないけれども、彼女たちがママになったらきっと、子供たちにこういうのではないだろうか。「お前たち、ウルセーンダヨ！」と。

それにしても、なぜここまで、女性たちがツンケンしたそぶりを遠慮もなく、他人にさらすようになってしまったのだろうか。道を歩いている彼女たち、コンビニで買い物をしている彼女たちは全身で、あたかもこう主張しているかのようだ。

どうして女ばかり笑っていなくてはならないの。男は無愛想でもいいけど、女は笑顔でいなくてはならないなんて不公平。笑顔が可愛いなんて、他人にいわれなくてもかまわないし、いわれたくない。私は自立した女だから、いつもニコニコなんてできませんし、したくもない。私は男性のマスコットじゃないのだから、男性に媚を売りたい女は売ればいい。なんで好きでもない相手に、笑顔で接しなくてはならないの。なんの関係もない人にまで、にこやかにしていなくてはならないの。どうして宅配便の配達の人にまで、笑顔でお礼をいわなくちゃいけないの。ただ、女だからという理由だけで、私たちは笑う必要なんかない。第一、私はいい子ぶるのはやめたのよ。いい人だなんて、可愛い女だなんて、金輪際いわれたくないの。

＊だれもあなたのふくれっ面なんかみたくない

にこやかに人に接することが、はたしてそんなに腹立たしいことなのだろうか。万事に寛大になれといっても限界はある。いつでもどんな場合にも、微笑みを絶やすなとはいわないが、あなたの目の前にいる人は、ふくれっ面したあなたの顔をみたくはない。いったいあなたに、他人を不快にする権利があるというのか。

といいながら私は今、数ヵ月前に突然、ある女性にショッキングなことをいわれたことを思い出した。親しい男友だちと私、そして彼の親友夫婦で食事をしようということになった。私と彼の親友夫婦は初対面だから、形どおりの挨拶を交わした。

すると彼の友だちの奥さんが藪から棒に初対面の私に向かって、なんであんたはそんなにヘラヘラ笑っているのかと、私に食ってかかったのだった。彼女のそのトゲのある言葉には友人も、彼女の夫もギョッとした。私としてもそのときにことさらヘラヘラしていたわけでもなく、いつもどおりの私だったから、返す言葉がなかった。かといって、せっかく一緒にご飯を食べようと思っていた矢先だったから、私が売られた喧嘩を買ってしまえば元も子もない。オバサンの私が泣くわけにもいかないから仕方なく、ごめんなさいね、愛想がよすぎたかしらと、どうにかその場を繕ったのだった。

ギクシャクしたまま食事を終え、件のカップルと別れてから、私は男友だちに彼女のことを聞いて、とっさに笑った。なんと彼女は、だれからも敬遠されている突っかかりの常習犯だそうである。私の友だちはそのおっかない奥さんを持つ親友から食事に誘われたとき、一緒に食べてくれる人を探したそうだ。私を誘った友人の奥さんは以前、彼女に突っかかられて怒り心頭に発し、その場で帰ってしまったという。私の夫も候補に挙げてはみたものの、直情型の夫は突っかかり屋さんには絶対に向かない。ようやく残ったのがこの私だったというわけだ。はじめからそうと耳に入れておいてくれれば、食事がもっと美味しくなったものをと、それだけは悔やまれた。

怒りっぽいとか短気だとかも人の個性だと思えば、それが他人なら大方の場合、あきらめがつく。もう二度と突っかかり屋の彼女とは、同席しなければいいだけなのだから。

悲しいこと、辛いことがあったなら、大いに泣けばいい。腹が立ったら、怒ればいい。顔で笑って心で泣いてなんて、前代の遺物だ。ガマンという言葉も、私は嫌いだ。泣いている人をみたらどうして泣いているのかしらと思い、青筋を立てて怒っている人をみたら……、あまり近寄らないこと。私が知る限り、感情の起伏が大きい人は、概して単純な人たちである。お天気屋さんとか気まぐれは感心できる性格とはいえないが、そんな彼らにいちいち気分を害していたら、それこそこちらまでおかしくなる。だから喜怒哀楽が激しい人がいたら、それが彼らのクセだと思って静観しよう。感情を表にださず、一見して思慮深そうな人のほうが往々にして扱いにくいものでもある。

それにしてもどうして彼女はあそこまで、社会性が欠落した人になってしまったのだろうか。若い時分から彼女と交流があったら、あそこまでひねくれ屋さんになる前に私もお役に立てたかもと、その点がちょっと残念。

＊家族のだれをも決して不快にしなかった、お母さん

植物が太陽の光など、明るいほうに伸びる向光性があるように、私たち人間もついつい笑いに引かれる。最近はホラー好きの子供がふえているそうだが、オバケなどの怖いものみたさは昔にもあったけれども、やはり笑いの魅力には抗えない。

一人で思い出し笑いをしている人をこっそりと覗きみるのも面白い。テレビのバラエティー番組を観ながら、大口を開けて笑っている人の姿をみるのもなかなかいいものだ。つまり、笑っている人間をみるだけで、私たちの気分までハイになるのである。

朝は夫や子供より先に起き、お味噌汁とご飯、卵とお漬物が並ぶ食卓を用意しているお母さん。憮然とした夫にも、にこやかにご飯をすすめ、お味噌汁をよそう。ちゃんと食べないと、給食までにおなかが空いてしまうわよと、優しく子供をたしなめるお母さん。仕度をすませ、玄関から出ていく夫と子供にいってらっしゃいと手を振るお母さん。あなた、早く帰ってきてねと夫に、車に気をつけてねと子供にいうお母さん。

これはごく当たり前の母親の姿にちがいなかったはずだ。家族のだれをも決して不

快にすることがなかった、お母さん。

たしかに時代は変わったし、そんな悠長なことはいっていられなくなった。だが、あなたが微笑みの出し惜しみをしたとして、かわりにだれがあなたの家族を優しさで包むことができるだろうか。あなたに恋人がいたら、彼にあなた以外のだれが幸せを与えることができるというのか。

四六時中、笑っていなくてはならないとはいいません。深呼吸をして、日に一度ぐらいニッコリ笑って相手の話を聴いてみましょうよ。

数年前に、「愛想なしのキミが笑った……」、という歌をはじめて聴いたとき、私はものすごくいい歌詞だと思った。

やはり笑いが似合うのは、女性のあなたなのだから。

サザエさんのような奥様になりたい

普段着にサンダル、髪をカーラーで巻いたサザエさんは、理想の「奥様」

＊お金を使って仕立てた擬似お嬢様たち

お嬢様とか奥様という言葉のニュアンスが、一九七〇年代の後半あたりから変わってしまった。そのことに私がはっきり気づいたのは、婦人画報社（現アシェット婦人画報社）が創刊した『ヴァンサンカン』という若い女性相手の分厚い雑誌を手にしたときだった。

誌名になっているヴァンサンカンというのは、フランス語で「二五歳」という意味である。折しも日本がバブル経済のとば口にあった時機だったから、雑誌の中身はコンサヴァなファッションとブランド品、高級コスメである。副題に女性の「ステータス・マガジン」という言葉が記されていて、モノ、モノ、モノ、ブランド品のオンパレードという点で、比類なくゴージャスな雑誌に思えた。

『ヴァンサンカン』の中に読者参加のページが多くあり、自称お嬢様という女の子たちがやたらと登場していたのである。そのころパリに住みはじめていた私は、創刊から『ヴァンサンカン』にパリ便りを寄稿していたということもあり、毎月編集部から送られてくる「ステータス・マガジン」のページをくりながら、お嬢様の質的な変化に気づいたのだった。

八〇年代の『ヴァンサンカン』は、芦屋のリッチなお嬢様をまねたいブランド愛好家必読のバイブルだった。男女雇用機会均等法ができる以前の、キャリア志向という言葉もない時代のことだ。『ヴァンサンカン』の出現以降、お嬢様のバロメーターはもっぱら、お金になった。二〇代の娘さんに自分で稼いだお金などあるはずがないから、ブランド品を集めるためのお金は父親の懐から。そろそろ発生しはじめていたバブルオヤジの娘さんたちが、ほらシャネルだ、ヴィトンだ、グッチだと、これみよがしになん十万円もするブランド品に酔いしれた。そして多くの若い女性たちが、自分もそんなお嬢様になりたいと思うようになったのも、そのころからである。

日本中が急にお金臭くなり、母親たちまでが自分の娘をお金を使ってまでお嬢様に仕立て上げようとしたものだから、世の中がおかしくなった。お嬢様経験のない母親が育てた擬似お嬢様が生まれてはみたものの、彼女たちはしょせん真性お嬢様になりえない。

それ以前の、高度経済成長以前の真性お嬢様を一人あげよといわれたら、百人中百人が皇后陛下の美智子様というにちがいない。そこはかとなく品があり、ブランド品をみせびらかすようなはしたないことは絶対にない。優しさに満ちたしぐさのすべてに、周りの人への思いやりがにじみでている。仕立てのいい服をお召しになっていらしたが、それ以上に内面的な輝きがあった。

＊だれにも優しい、本物の「奥様」がいなくなった

美智子様だけではなく、私たちの描く真性お嬢様のイメージは、そうだった。真性お嬢様の条件はなんなのだと、聞かれても困る。真性お嬢様になる条件など、ないからだ。無理にこじつけたとして真性お嬢様の条件は、彼女の母親も真性お嬢様だったということぐらいだ。真性お嬢様が結婚し、真性奥様になった母親がいつくしみ育てた娘が、おのずとお嬢様と呼ばれるにふさわしかったからだ。本当のお嬢様というのは、生花、茶道、料理などの花嫁修業をまっとうしたからといって作られるものでは決してないのである。

真性お嬢様が男性に経済力を求めず、人格の素晴らしさを偏重するがために、結婚後のほうが貧しい生活を強いられているように傍から思われてしまうケースは、世間によくある。ところが、世間の目をものともせず、つつがなく暮らしていけるのなら、それでよしとするのが、真性お嬢様の節度にちがいない。また母親にしても、娘が自分の目でたしかだと信じた結婚をしたのだから、たとえお金がなくても娘が幸せならいい。そういう潔さが母娘ともにあるのが、今も昔も永遠の奥様とお嬢様たちなのだと、私は確信する。

「悪貨は良貨を駆逐する」のたとえどおり、真性お嬢様が擬似お嬢様に押され、影が薄くなってきている。と同時に、奥様と呼ばれる女性たちにも異変ありだ。

あるとき、私のいきつけの美容室で、こんな話を年配の美容師さんからお聞きした。私が住んでいる新宿区の神楽坂という町は、山の手の下町といった風情の町だ。メインストリートの坂の名前が神楽坂なわけで、かなり急な坂道の両側に飲食店や商店がぎっしり軒を連ねている。賑やかな神楽坂通りから脇道に入って数分も歩くと、あたりはウソのように静かなお屋敷町になる。そんな町の老舗美容室の先生が、こうおっしゃった。

神楽坂の町並も変わったけれども、昔とくらべて一番変わったのは、この町から奥様がいなくなったことですよ、と。

際立って美人である必要はないけれども、教養があって奥ゆかしく、いつもにこやかでだれかれの分け隔てなく親切な既婚女性。かつて奥様と呼ばれるにふさわしいのは、そんな女性だった。

奥様はご用聞きのおじさんにも水道工事のお兄さんにも、ご主人の友だちの官庁キャリア組にも分け隔てなく接した。職業、役職がちがっても、それはあくまでも男社会のヒエラルキーにすぎない。まして職業や役職は、人格まで左右するものではありません、と、奥様はキッパリいい切る自信を内に秘め、だれもに優しいのが妻の矜持と、周りの人々にやすらぎを与える存在だった。

＊サザエさんは、実は素敵な奥様のモデル

サザエさんが奥様なら、自分だって奥様だという方がいたら、きっとあなたも奥様にちがいない。長谷川町子さんが理想の奥さんとして作り上げたサザエさんは今では、れっきとした奥様に昇格。

サザエさんが奥さんから奥様に昇格した。というのも、私の理想とする奥様像は以下のとおりだからである。

・奥様はだれにも、分け隔てなく優しい。
・奥様は職業、役職で人間を評価しない。
・奥様は自分の所持品をみせびらかさない。
・奥様はお金で人物を評価しない。
・奥様はいつも、自然体。
・奥様は笑顔を絶やさない。

シロガネーゼはご自分たちを奥様だと思っている。だとしたら、サザエさんとシロガネーゼが同列に並んでしまう。一分の隙もなくファッションで身構えるシックなシロガネーゼと、カーラーで髪をクリクリにした、普段着にサンダルを引っかけただけのサザエさん。はたしてどちらの奥様が本物か、先の要素別で合否を確かめてみたい。

サザエさんとシロガネーゼを判断すると、シロガネーゼやアシヤレーヌを押さえてサザエさんの圧勝。笑顔を絶やさないという点については、両者で優劣はつけにくい。シロガネーゼにも案外、いつも愛想がいい女性がいるかもしれないから。だが、ブランド品大好き、ご主人はお医者様か弁護士さんが妻のステータスと公言して憚らないシロガネーゼは、どうみても奥ゆかしいとはいえない。

やはり私は、この際、サザエさんを奥様に祭り上げるつもりだ。庶民的なサザエさんが好きで、奥様におさまるサザエさんではがっかりという方には妥協案として、「サザエさんは平成の奥様」としてはどうだろうか。

奥様になりたいとあなたが思うなら、どうかサザエさんのような平成の奥様になっていただきたいものだ。

朗らかママが育てる朗らかな子供

子育てに一喜一憂しないで、子供たちの健康に感謝しよう

＊子育てに絶対的な成功なんてあるはずがない

育児に代わり、子育てという言葉が使われはじめたのは、いつごろからだろうか。育児が親の領分だとしたら、生まれた子供が小学校に上がるころには育児から解放される。ところが子育てという言葉だと、私たち母親がいつまで自分が産んだ子供を育てるかということになるから、育児よりも長期に子供に係わることになる。

いったい子供がいくつになるまで、親は子供を育てる気でいるのだろう。

よく世間では、子供の成人式や就職を機に、親の子育て期間にひと区切りをつける。ここまで立派に育てたのだから、これで一応、親の義務は果たしたという具合に。ところが子育ての結果なんて、そんなに早くでるものではない。

臨終におよんで死にゆく私が、私の子育ては成功だったと思うとしたら、それは紛れもなく成功だったことになるだろう。少なくとも私にとっては。他人が私の子供はわがままだ、親不孝だといおうと、親の私が自分の子供は立派に育ってくれたと思えばそれでいい。ところが、これだけ高齢化が進んでいる時代だから、もし私がボケでもしたら、それも考えられない。

子育てほど、結果が先送りされるものも珍しい。もっとも子育ての成功なんて、個々人が決めることで、絶対的な成功なんてあるはずがない。

＊勉強はきらいでもいいが、学校は好きでいて欲しい

子供の教育についても、同じことがいえる。テストで満点を取ろうが六〇点であろうが、一人の人間の長い人生の中で、学校の試験の点数なんて、取るに足らないほど瑣末な、針の穴ほどのものにもならない。テストの点はどうでもいいが、学校が好きな子供でいて欲しい。

もしも、あなたのご主人が毎朝のように会社にいくのをいやがり、はては出社拒否になったとしたら、そのときにあなたは本気で頭を抱えることだろう。あなたがご主人に、仕事が大好きかと聞いたら彼は、家族のために仕方がないから働いていると答えるかもしれない。それでも毎晩、帰宅する彼はそれなりに、一日の仕事を終えてきたという安堵の色を脂っぽい顔ににじませている。子供にしてもご主人と同じで、学校が大好きかと聞かれたら、勉強はきらいだというだろう。それでも毎日、学校から戻ったあなたの子供さんは、その日に教室であったことや、運動場の鉄棒で連続逆上がりがなん回できたとか、クラスで育てているエンドウマメの花が咲いたとか、楽しそうにあなたに話してくれるにちがいない。

ご主人と子供さんの次は、あなたの番だ。洗濯や炊事など、家事がきらいな主婦はとてもお気の毒だと私は思う。イヤイヤながらすることほど、辛いことはない。アイロンかけをしながらも、読みかけの本が気になって仕方がないあなた。食事の後の食器洗いが苦痛で仕方がないあなた。家事は主婦の義務だからと、どうにかきらいだという気持ちをあなたはごまかしごまかし、今日までつつがなく家事をこなしてきているはずだ。それを思えばあなたが子供さんに、もっと勉強をしなさいというのがいかに酷なことだかおわかりになるだろう。

勉強はきらいでもいいが、学校がきらいな子供はかわいそうだと私は思う。だからお母さん、勉強しなさい、いい点を取らなきゃダメとばかりいわないで、まずは学校が大好きな子供であってくれることを祈ろうではないか。

たまには勉強が大好きだという変わり種もいるが、大方の子供は勉強が好きではない。子供に学校が好きだという前提条件があれば、成績が悪くても良くても五十歩百歩。僻地にあって、ひと学年に数人しか子供がいない学校なら、あなたの子供さんは一番になれる。それほど学校の成績は相対的なものであって、母親のあなたが一喜一憂するほどのものではない。子供が持ち帰った成績表が満足なものでなかったとしたら、ひとつ思い出して欲しい。あなたの小学校時代、いつもトップの成績をひた走っていたクラスメートのことを。

私たちは知っている、小学校時代の優等生たちの今の姿を。彼らはいい子で、よく勉強していたにちがいないし、もともと一生懸命に勉強する環境にいたのかもしれない。それはそれで、まちがいなくいい子だったはずだ。だが世間でよくいうではないか、二十歳過ぎればただの人と。

小学校のときからずっと優等生で、人生を通じて光り輝き続ける人は稀だ。中にはそういうエリートもいるが、実際に会ってお喋りをしてみると、期待されたエリートが案外つまらない男性だったりする。学校の成績はその人の人格を左右するものではないことを確信しているのは、あなたではなかったか。

＊世界じゅうの母親が自分の子供に望んでいること

そんなことよりも子育ての成功や不成功、教育の成果といったことは、どうでもいいと思えるような衝撃的なことが、往々にして起きる。今や世界じゅうの母親たちは、自分が生んだ子供が無事に異性と結ばれてくれることを、心ひそかに願っている。わが子がホモセクシュアルか否かの前では学業の優劣など、取るに足らないことなのだから。

ホモセクシュアルとはご存知、同性愛のことで、反意語はヘテロセクシュアル。つまり大多数の人たちのような異性愛である。俗にいう両刀使いのことをいう、バイセクシュアルの人もいる。

ホモセクシュアル自体、有史以来とされているから、今にはじまったことではない。ただ、一部の愛好者たちの間のことだと、つい最近まで考えられていたわけだが、ホモセクシュアルが市民権を得たかのように、一般人の意識に浸透しはじめている。アメリカでは男性同士、女性同士の結婚を法的に認めている州もある。数年前、イギリスの権威ともいえる議会の、大物政治家たちのホモ関係がゴシップ誌をにぎわせていた。そしてフランスでも、ファッションやアートの世界ではホモセクシュアルが多くみられる。あらゆる芸術のジャンルで、それが珍しいことではなくなっている。

そしてホモセクシュアルは、親の躾や育った環境の影響も侮れないが、生まれつきの資質に他ならないという説により信憑性がある。最近では遺伝子の見地からホモセクシュアルは語られている。生まれる以前、人のＤＮＡのレベルで同性愛や異性愛が、すでに決まっているとまでいわれている。

ところがここで、笑えない笑い話がある。わが国ではまだ、それほどホモセクシュアルが身近な存在ではないから、この話を日本の母親たちに当てはめることはできない。私がパリで暮らしていた時分によく、仲間内でささやき合っていたというレベルの話である。

息子を持った多くの母親が、わが子に限ってホモセクシュアルになってくれるなと祈るのは当然だ。幼い息子にクリスマスのプレゼントとしてバービー人形をねだられても、まず首を縦に振らないにちがいないし、息子に女の子の洋服を着せる母親もいない。わが国以上にフランスの親たちは、男の子は男らしく、女の子は女らしく育てるのだから。ところが幸か不幸かホモセクシュアルの男性の母親は不思議と、彼女の息子がホモセクシュアルだとは気づかないものなのである。笑えない笑い話というのが、これなのである。

中には気がついていながら、知らないふりをしている母親もいるかもしれないが、いくら観察しても私には、彼女たちがそのことに気がついているようにはみえなかった。そう思ったのは私だけではない。私の知っているフランス人の母親たちも、よくそういっていた。

そしてたどりついた答えは、「愛は盲目」である。

わが息子に限ってと疑う余地のない母親の愛をして神は、そのことを感知する能力を彼女から削いでくれているにちがいない。

かといって私は、ホモセクシュアルが悪いといっているのではない。魔女狩りが横行した時代ならいざ知らず、愛の世界までが混沌としている現代社会だからなおさらのこと、自分の子供を一人の人間の幸せという観点から、冷静に眺めて欲しいと思うにすぎない。勉強していい学校に入り、一流会社に勤めたからといって、ホモセクシュアルに走ることもある。

それほど漠とした世の中に生きる私たちだから、子育てに一喜一憂することの無意味をここで一度、じっくり噛み締めてみようではないか。

子供の成績を嘆く前にあなたは、僻地の学校に入ればうちの子も一番になれるものをと思えばいい。泥だらけの子供が持ち込む汚れた洗濯物を前に、病弱な子供でなかったことに感謝しよう。

そして子供たちの寝顔にみいり、彼らの健康を神様に感謝しようではないか。なんの神様かといえば、あなたの信じる万能の神に。

居心地のいい家

自宅の居間を、どこよりも快適な場所にしよう

＊疲れたからだに休息と、心にやすらぎを与えてくれる癒しの場所

あなたにとって、もっとも居心地のいい場所はどこですか？

唐突な質問で恐縮だが、あなたの夫や子供さんたちにとって、もっとも居心地のいい場所がどこなのかということも、ちょっとお考えいただきたい。

あなたの家の近くにオープンした、パリの町角にいるような気分にさせてくれるカフェのテラスとか、公園を眺めながらお茶が飲める郊外の喫茶店だとか、ご主人がやっと取れた夏休みに宿泊した都内のホテルの部屋を、あなたは思い浮かべているのではないだろうか。だが、そこはあなたの好きな場所であって、あなたが全身を投げ出してくつろげる、居心地のいい場所は別にあるはずだ。

もしこの問いを、フランセーズ（フランス女性。ちなみに男性はフランセ）に発したら、彼女たちはすかさずこう答えるにちがいない、もっとも居心地のいい場所は、私の家のサロンより他にあるはずないじゃないと。サロンというとリッチなマダムが仕切る、シャンデリアが輝く、貴族たちが集う大きな応接間を連想するかもしれないが、それは一八世紀か、せいぜい一九世紀末から第一次世界大戦までのベル・エポックといわれる古きよき時代のフランスでのこと。「サロン（salon）」という言葉で仏和辞典を引くと、そうした社交界という意味も載っているが、現代社会で日常生活で使われるサロンといえば、居間のことである。

またしてもあなたに、私の家には居間なんかないといわれてしまいそうだが、夫婦に子供がいても、パリっ子なら、２Ｋのアパートにもサロンを作ってしまうのである。

夫や、自分の命と引き換えにしてもいいと思うほど大切な子供たちが、疲れたからだに休息と、心にやすらぎを与えてくれる癒しの場所が家庭だという点は、万国共通のはずだ。あなたが独身だとしても、その点にちがいはない。そしてそれは今、あなたが毎朝、毎晩キッチンに立っているあなたの家だし、家族が語りあい、心身ともに癒されるための場所としての居間である。

だからあなたの家の居間を、今よりもっと居心地のいい場所にしようではないか。

といってもあなたは、「フランスとわが国では住環境がちがう。わが国はフランスほどよくない」と、お思いになっているのではないだろうか。

フランスというとすぐにあなたは、川のほとりの瀟洒《しょうしゃ》な、シャトーのような豪華な家をイメージなさる。四季折々の花が咲いているガーデンを抜け、大理石の玄関がある邸宅を。あるいは石の床に敷かれたカーペットの上で、ラブラドールやドーベルマンなどの大型犬が寝そべり、濃いグリーンか茶の皮製のソファーで、ガウンをまとったムッシュがフィガロ紙かなんか読んでいる光景を。タピスリーが壁に掛かり、暖炉からはぱちぱちと薪がはじける音がする、シックな応接間を思い浮かべるのではないだろうか。

大きな皮製のソファーや暖炉のある居間がヨーロッパ式の住居には欠かせないが、パリで普通の人たちが住んでいるアパートはどれも、日本のみなさんの期待を裏切る狭さだ。二〇年で三度、正確には四度の引越しを経験した私がいうのだからたしかだし、パリに住んだことがあるお友だちのお友だちからあなたも、お聞きになっているのではないだろうか。たとえお聞きになっていてもまさか、パリがわが国よりも住宅事情がよくないとは、にわかには信じがたかったかもしれないが。

外国人がわが国の住宅事情を評していった、「ウサギ小屋」などという言葉を鵜呑みにしたのがいけなかった。かくいう私もパリで暮らす以前は、わが国の住宅事情が先進諸国の中で劣っていると信じて疑わなかった。東京の町が世界でもっとも物価が高く、住みにくいともいわれている。ウサギ小屋だといった外国人は、母国でお屋敷住まいをしているにちがいない。アメリカの場合なら、アリゾナの田舎町でなくても、ニューヨークやロサンゼルスなどの大都市でも、わが国よりも住宅事情がいいのはたしかだ。

だが少なくともフランスとイギリスならば、首都のパリもロンドンも、東京とそれほどちがわない。パリは私の第二のふるさとだし、ロンドンに数年間、アパートを持っていたことがあるので、あの町のことも熟知している。それにしてもロンドンのアパートはどこも、お湯の出がよくなかったのはどうしてだろう。お家賃にしても面積が同じだとしたらパリとロンドンは、東京の港区や千代田区並みの高さだ。

バブル以降ならむしろ、東京のほうがお家賃は安い。どうして東京の物価が世界一高いと思われ、もっとも住みにくいといわれてしまうかについてこれ以上話していると、本筋を外れてしまうので割愛する。いずれにしても、普通のパリっ子たちが住んでいるアパートは、決して広くも豪華でもないことだけを、ここで私は繰り返し申し上げたい。

＊なんとしてでも居間としてのスペースを完璧に作り上げるパリっ子たち

横長の楕円形をしたパリの町は、東西一二キロ、南北九キロだと知れば、市内なら交通費はいっさい使わないテクシー派も珍しいことではない。

「狭いながらも楽しいわが家」というのはわが国だけのことではなく、花のパリに住むパリっ子たちもまた、「狭いながらも楽しいわが家」で暮らしているのである。ところが広さというか狭さというか、似たり寄ったりの面積の住居でも、パリっ子と私たちでは家に対する意識に大きなちがいがある。

家族が快適に暮らすという点で、狭いアパートに住む彼らは、天才的な才能を発揮するのである。それでは次に、パリっ子たちの住居観をお話ししよう。

はじめに居間ありきが、彼らの家作りのポリシーである。男性と女性でも、男性同士でも、カップルが住む場所の中心はサロンと呼ばれる居間になる。

家族がともに語らい、ともにくつろぐ。一日に学校であったことを子供たちは親に話す。異なった意見が飛び交い、議論に発展することもある。親が子供を躾けるのもそこなら、家族でテレビやビデオを観るのもそこだ。子供たちのお誕生日会をするのも、お客様をもてなすのも居間だ。ソファーでなく、テーブルと椅子が置かれている場合も、人が集う部屋が居間、つまりサロンになる。

フランスなら夫婦と子供は絶対に別室だから、子供部屋として2Kから一部屋がつぶれる。残るはキッチンがついた一部屋だけということになる。その一部屋には当然、夫婦用のダブルベッドが置かれることになる。ところがインテリア部門の工夫で天才肌を発揮するパリッ子は、自分たちが寝ていない時間帯のベッドを、居間の一部にメタモルフォーズ。収納式ベッドなら昼間は壁になり、折りたたみ式ならそのままソファーにする。ベッドを厚地の布で覆ってテーブルを寄せ、長椅子にするパリっ子もいる。ムースと呼ばれる硬質の、折りたためるスポンジだけのベッドも便利だ。なんとしてでも居間としてのスペースを、パリっ子たちは完璧なまでに作り上げてしまう。それもこれも、家族には、なにはなくても語らい、憩いの場所としての居間が必要だということが、彼らのDNAに刷り込まれているからである。

＊平凡な日常だからこそ、どこよりも快適な場所に

ところが私たち日本人の妻は往々にして、自分の夫や子供がどれほど妻でありママのあなたを軸にした、あなたの家が大好きかということに気がついていない。

翌朝になって、どうやって戻ってきたかさえ思い出せないほど、正体なく酔っぱらって帰宅した夫を眺めながら、男性の帰巣本能の強さに感心しているあなた。泥だらけ、汗まみれのユニホームでサッカー場から帰ってくる息子に向かってあなたは、お風呂場に直行しなさいとばかり声を張り上げているのではないだろうか。あるいは「ただいま」といわずにドアを開けた娘さんにあなたのほうこそ、「お帰りなさい」もいわないのではないか。

夫が、子供たちが、帰ってきてくれたことに感謝しろとはいわないが、彼らが戻る場所はあなたの家しかないのはたしかだ。夫が仕事から帰り、子供たちが学校や部活、塾から帰ってくる。十年一日のごとくくりかえされる、ごく平凡な日常だからこそ、なおさら家は私にとって最高に居心地のいい心身のシェルターにしたい。

私たちにとってかけがえのない家族が住む家を、世界じゅうのどこよりも快適な場所にするのが、妻であり母親でもある私たちの役目だ。

もしもあなたが、家族がともに語らい、憩うための居間がないのは、住んでいる家が狭いせいだと思うことがあったら、これからお話しするパリのアパートのことを思い出して欲しい。

エレベーターはないから、螺旋階段を上がらなくてはならない。息も切れ切れでドアの前にたち、鍵穴にキーを差し込む。ドアを開けるとそこに、四五平米ほどのスペースがあなたの目に飛び込んでくる。

右か左に小さな子供部屋があり、正面の窓からは隙間なく続くパリの建物群がみえる。部屋の真ん中に木製の六人がけのテーブルがある。手前に二脚、両脇に一脚ずつ椅子が置かれているが、窓寄りの部分はベッドが椅子の代わりをしているらしい。窓枠とベッドの間の白い壁には、インドシルクのいくつもの色ちがいのクッションが並んでいる。寝室兼サロンの窓に向かって、子供部屋とは反対にしつらえられているキッチンの小ささに、あなたは驚きの色を隠せない。

やがて、そこがあなたには、とてもパリらしい空間に思えてくるにちがいない。

そして次の瞬間あなたは、ご自分の家のリフォームを決心する。あなたがみた、パリの2Kのアパートをイラストで残しておこう。

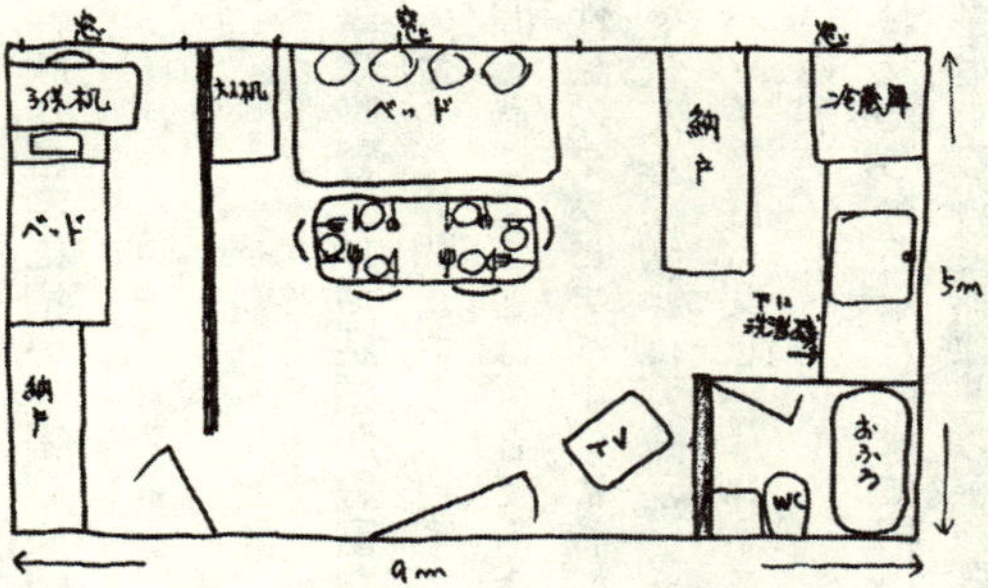
窓
窓
窓
子供机
大人机
ベッド
冷蔵庫
ベッド
納戸
納戸
下に
洗濯機
TV
おふろ
WC
5m
9m

休日に光る、おもてなし上手な女性になる

仲間を自宅に招いて楽しい語らいの時間を過ごす、それこそ上質な余暇の使い方

＊豪華な晩餐より、話題が豊富なホステスがいること

気の合った仲間たちと、自宅でテーブルに並んだ料理をつまみながら楽しい語らいの時間を過ごすことは、とても上質な余暇の使い方だ。

女性誌のグラビアページに載っている、有名なシェフが腕をふるうレストランをご主人や恋人と、ひと月も前から予約してのグルメ三昧も魅力的だし、休暇を調整して、ハワイ旅行も楽しい。ユネスコの世界遺産に登録された、国内の景勝地を訪れるのもいい。リゾート、グルメ、ショッピングなど、リフレッシュの方法はあるけれども、お友だちをあなたの家に招いての食事会もそのひとつに入れて欲しい。仮想のうちに終始する防災訓練とちがい自宅でのおもてなしは、女性のあなたを主役にしてリ

アルタイムに進んでいく。

子供の運動会や地区のお祭りなどのコミュニティー活動の帰り道に、なん家族かで道路沿いのファミレスに立ち寄ることがあるだろう。食欲をそそるようにカラーリングされたファミレスでは、スタッフも料理もなにもかもがマニュアルどおりでそつなく運ばれる。

だが、外食産業の工夫が集約されたこぎれいなファミレスでの会食が、ハレの雰囲気として子供たちの意識に焼きつくとしたら淋しすぎはしないだろうか。チルドや冷凍食品づけのファミレスの料理が、美味しいはずがない。

一方で妻たちも、夫ばかりが外で仕事にかこつけ、美味しいものを食べていると誤解する。たとえ奥さんのあなたがなんと皮肉ろうと、する側でもされる側でも、接待の席に並んだ料理が美味しいはずがないと、ご主人たちは主張したいはずだ。

食べるなら材料を真剣に吟味して手作りしたあなたの料理が一番だし、気の合った仲間と過ごす時間こそ、千金に値する。そこでぜひともあなたに、あなたが主役になる、素敵なおもてなしに慣れて欲しい。

パリに住んでいた二〇年間で、いったいどれだけの回数のおもてなしを、私はフランス人の友達から受けただろうか。訪れた家もワンルームのマンションからシャトーまで、ピンからキリまでなら、出された料理もさまざまだった。だが、私のパリ雑記帳のページをいくらめくっても、豪華なシャトーでお手伝いさんが運んできた料理が美味しかったとは記されていない。

私の心に残る記憶の量は、招かれて訪れた家の豪華さや目を見張るほど高価な食材で仕上がった料理ではなく、その晩のホストとホステスのおもてなしの心意気に比例している。

リッチな人の口から、面白い話が出てこないことを経験的に感じている私は、豪華な晩餐が記憶に浅いものだということも確率的に知っている。おもてなしの成功の秘訣はひとえに、話題が豊富なホステスがいることだと断言するのは私だけではない。グルメでグルマンなフランス人たちもまちがいなく、私の意見に賛同してくれるはずである。

＊お客様を招く、心地よい緊張感が生活にメリハリを与えてくれる

週末の晩にきてもらうことになっている学生時代の親友夫婦に、どんな手料理を用意しようかしらと思いめぐらせるのも、お客様をする楽しみである。

とかく大変だと思われがちな自宅での接待も、ひとたびおもてなしのテクニックをマスターしてしまえば、取り立てて面倒なことはない。今流行のコスト・パフォーマンスという観点からすれば、自宅でのおもてなしは、労力や肝心の費用の点でも効率がいい。

そしてメリットは、あなたがご主人とともに築いているご家庭に、よその方が持ち込む空気と準備のための心地よい緊張感が、毎日のあなたの生活にメリハリを与えてくれることだ。

ご主人やあなたのご両親を招くのとちがい、アカの他人の存在は子供さんたちにとっても刺激的なはずだ。情報が氾濫しているわりに現代社会は、人と人との間近なコミュニケーションに欠けがちだ。友だちのお母さんの顔は知っていても、親戚は除外して両親以外の人のパーソナリティーにふれる機会が子供には少ない。近所の口うるさいおばさんや頑固じいさんが姿を消した町で育つ今の子供たちは、一見するとおませさんで人馴れしていそうなのだが、実はまったくそうではない。

他人の目に晒《さら》されていることを感じながら、お客様をすることで子供たちは、親とよその人に対する態度をわきまえるようになる。ギクシャクしながらも外の人に慣れてくるわが子を眺めるのも、親にとっては大収穫だ。同じことが夫からみた妻にもいえるし、妻からみた夫にもいえる。複数の人たちの中で家族一人一人のキャラクターをみきわめることも、自宅でお客さんをしてこそ、知り得ることなのである。それだけでなく、お客様をすると部屋がキレイになる。いつもはおざなりにしている拭き掃除を丹念にするおかげで、食事をするダイニングが隅々までピカピカになる。

そしてもうひとつ、仲間を招き招かれることの説得力あるメリットはこれだ。

将来を考えると、ご主人のお給料の上昇は以前よりも緩慢なのに、余暇だけは確実にふえる。となればいずれは、夫と過ごす時間は今よりも確実にふえるだろう。夫婦がより快適な日々を送るためにも、今のうちに私たち妻も、親しい友人を自宅に招いて、ムダなお金をかけずに楽しむ心積もりが必要だ。

将来のことではなく今でも、国民の祝祭日の日数については意外にも、わが国がアメリカやイギリス、フランスよりも多い。カトリックのフランスには、復活祭や昇天祭といった宗教がらみの祝日があるにもかかわらず、わが国よりも祝祭日が少ない。フランスの場合、長いバカンスがあるから結果として休暇は多いものの、国民の祝祭日についてはわが国のほうがたくさんある。数日前に私は、パリで買った手帳の付録部分をめくっていて、そのことにはじめて気がついてとても驚いた。

カレンダーの赤い字を数えながらあなたは、いかにしてお金をかけずに楽しむかについて思案する。そしてあなたは、家族ぐるみで付き合っている人たちの顔を次々に思い浮かべるにちがいない。

プロ家事のすすめ

プロの気迫で、指紋ひとつ残さない徹底した磨きぶり

＊あなたがしている家事の価値を知ろうよ

毎日、私って同じことばかりしている。家事って、まったく報われなくてつまらない。そんな思いにとらわれるのは、あなただけではない。掃除、洗濯、食事の支度と、毎日、変わり映えのしない生活に飽き飽きしたら一念発起。プロ家事をまねてみようではないか。

なぜ、プロ家事のまねをするかといえば、あなたのしているのと同じことをして、その労働の対価として、海の向こうで給料をもらっている人たちがいる。あなたの日常の仕事がいくらになるかを知ることで、少なくともあなたが報われないと思う気持ちが薄らぐのではないだろうか。

私たちが家事をしたところでお給料をくれる人がいるわけではないけれども、自分のしている家事の価値を知るのも悪くない。家事のプロといっても、わが国にもある派遣センターに登録している、二時間でバカ高い料金で働くお掃除オバサンやお掃除ネエサンのことをいっているのではない。掃除、洗濯に食器洗いやアイロンかけなど、日常的なレベルの仕事をする人たちのことである。

フランスにはファム・ド・メナージュ（femme de ménage）と呼ばれるお手伝いさんがいる。ファムは女性のことでメナージュは家事。つまり家事専門のプロの仕事人だ。

彼女たちの大半は、フランスの旧植民地のアルジェリアやモロッコからの移民労働者の奥さんや、あるいはポルトガルやスペインから出稼ぎにきている女性である。夫婦でフランスにやってきて、アパートの管理人をしながら、夫はペンキ職人や配管工といった工事関係などの力仕事に携わり、妻たちがフランス人家庭の家事を請け負う。このパターンが古くからフランスだけでなく、イギリスやドイツなどの先進ヨーロッパ諸国に定着している。

若いときに夫婦でパリやリヨンなどの都会で働けるだけ働いてお金をため、いずれは母国に帰って立派な家を建てる。それが彼女たちファム・ド・メナージュの生活設計である。

買い物から子供の学校の送り迎え、家事全般を受け持っている住み込みのファム・ド・メナージュもいる。その場合は雇い主から女中部屋の一部屋をあてがわれている。かつてはそうした部屋つきのお手伝いさんを雇っている家庭も多かったが、屋根裏といえども家賃が高騰している昨今、曜日と労働時間を決め、通いできてもらうケースがほとんど。働くほうにしてみれば安定した賃金が得られるにこしたことはないから、長期にわたってたのめば割安になる。反対に引っ越しのあと片づけや大掃除など、困ったときだけ助けてもらうとなれば割高になる。それでも、時給にして千円弱といったところだろうか。

最近になって、ヨーロッパ社会に長いこと定着しているこの風習に、若干変化が生じている。ファム・ド・メナージュにしろアパートの管理人にしろ、フランスで生まれた彼らの子供たちが、生地フランスでの永住を望むケースがふえたからだ。私が住んでいたパリのアパートの管理人さんがそうで、故郷のポルトガルに錦を飾れなくなったことを、しきりと嘆いている。

故郷に帰れなくなるリスクを回避するために、中には子供を母国に残し、パリに出稼ぎにくる夫婦がふえている。故郷に錦を飾るという、古きよき時代の移民労働者の夢はなくなったが、ファム・ド・メナージュの仕事は今も昔も変わらない。

パリの場合、マダムたちはほとんどがフルタイムで会社勤めをしているから、ファム・ド・メナージュへの家事の依存度は圧倒的に高い。女性政治家や大学の先生、大会社の女性重役など、俗にいうキャリアのマダムたちにいわせると、自分たちが安心して働くために不可欠な存在の筆頭が、ファム・ド・メナージュ。ちなみに二番目がベビー・シッターで、三番目が理解のある夫の順になる。

＊一心不乱に磨き、洗い、アイロンをかけて三時間

それでは、ファム・ド・メナージュと呼ばれている彼女たちの仕事ぶりの、どこがプロなのだろうか。その前に、雇う側の心構えについて触れておく必要がある。というのも、ファム・ド・メナージュと呼ばれる彼女たちにしても、根っから家事が好きだからその仕事についているわけではない。

彼女たちにちゃんと仕事をしてもらうために雇う側のマダムは、実に厳しく仕事を指示する。厳しさが度を越すとファム・ド・メナージュに逃げられ、甘やかすと手抜き仕事になる。だからおたがいの関係がうまくいき、同じ人が長く働いていることが、マダムとファム・ド・メナージュの人柄の評価につながるのである。

その場合にマダムに与えられる賛辞は、指示の的確さと貧しい彼女たちへの思いやり。一方のファム・ド・メナージュには、誠実さと勤勉である。泥棒が日常的な国だから、家の鍵を預けることもある彼女たちには、だれよりも信用が要求される。いずれにしても、フランス人のマダムが外で心おきなく働くためには、ファム・ド・メナージュとの長期的な安定した関係が不可欠なのである。

次に、プロの彼女たちの仕事ぶりについて述べよう。これをマスターすれば私たちでも、プロの仕事人になれる。蛇足だが、ギャラの高いセンターからの派遣ヘルパーさんよりもはるかに、ファム・ド・メナージュの仕事レベルは高い。

お金をいただくためには、ファム・ド・メナージュの側としても、自分が働いた結果を印象づけるのが先決である。

パリのフランス人の友達宅を訪れると、ファム・ド・メナージュがきて掃除をした日と彼女がこなかった日では、その家の部屋の輝きがちがう。そのちがいが歴然としているのが磨きテクで、水まわりのフィニッシュなどはあっぱれなものだ。

パリの水は硬水だから石灰質を多く含んでいるため、乾くと蛇口や洗面台に白い粉が残り、そのまま放置すると水垢がこびりつく。調理器具にしてもバスタブにしても、水気を完璧にふき取り、ピカピカに磨く。

どうせまた使えば、じきに汚れてしまうのにという発想はタブー。モノは使えば古くなるとか、古くなれば汚れて当然という考えかたもない。どんなに長く使っているお鍋もガス台も、買ったばかりの輝きを維持させるのがフランス式だ。

　壁も床も、家具も革製品も磨きぬく。全身をこめて彼女たちが取り組む、磨きに耐えうる家具や壁というのもすごい。指紋ひとつ残さない徹底ぶりには、プロの気迫さえ感じる。

　アイロンかけにも、彼女たちのプロテクが光る。有名店でなければ、わが国のクリーニング代はフランスのそれの三分の一だ。私はパリのクリーニング屋は高いだけあって上手だと思っていたのだが、フランス人の評価は別らしい。マダムたちはご主人のワイシャツを、クリーニングに出したがらない。クリーニング屋ではなく、ファム・ド・メナージュに、ワイシャツのアイロンかけをしてもらうのである。クリーニング代が高いから、彼女たちの時給からはじき出せば、そのほうが大幅に経済的にはちがいないが、それ以外にも理由がある。

　クリーニングに出すと手でアイロンをかけるわけではなく、機械仕上げになるから、ワイシャツの襟や袖が早く擦り切れてしまうというのが、一番の理由である。はじめてその話を聴いたときに私は、まさかと信じなかった。そこでなん人ものマダムたちに同じ質問をした。おしゃれなムッシュにも聞いてみたが、異口同音にだれもがそういったから、私も信じざるを得なくなった。モノを大切にすることと経済性が一致するのだから、だれもがそう思ったとしてなんの不思議もない。

コーヒー一杯飲むことも、タバコ一本吸うこともなく、ファム・ド・メナージュは一心不乱に磨き、洗い、アイロンをかけて三時間。スーパーの買い物をいいつけられていることもある。郵便局に小包を出しておいてと、ことづかることもある。彼女たちの家事労働なくして、その家族に平穏な生活はないといっても過言ではない。

＊キッチンがピカピカになると気分も変わる

さてさて、ファム・ド・メナージュのプロ家事を眺めたところで、働くフランス女性を支える彼女たちの家事ぶりを、あなたもまねてみませんか。そしてあなたの小遣い帳の収入の欄に、三千円と書き込んでみたらいかがでしょう。

実はそういう私は、彼女たちの家事テクの実践者だ。パリで私たち家族が住んでいたアパートは、東京の今の家よりはるかに大きかった。シャンデリアもあったし、ドアにもリモージュ焼きの上等なノブがついていた。掃除のしがいがあったし、磨けば光った。

二〇年住んだパリから東京に戻って思ったのは、まともに掃除をする箇所がないことだった。

贅沢に育っていない私は、特注というのが好きではない。だから毎日使っているキッチンはオーブンもレンジもシンクもサンウェーブ製の、どこにでもある平凡なタイプ。バスもトイレもTOTOの並製だから、磨きがいがない。それでもよく手伝ってもらったポルトガル人のキャブレラ夫人の笑顔を思い出しながら、彼女流の家事テクをまねている。

六人がけのテーブル以外、なにも置けないほど狭いダイニングだけれども、いらした方にいつもキレイだとおほめをいただいている。先日レンジとオーブンの点検にきたサンウェーブの技師さんにこういわれた。

「奥さん、このキッチン、あまり使っていませんね」

それを横でみていた娘がニッコリ笑った。

家族以外、少なくとも月に三〇人、多いときで五〇人分の食事の準備をこなしているわがレンジとオーブンが、まるで使っていないようにみえたとは。ファム・ド・メナージュ仕込みのプロ家事の成果が、思わぬところで証明されたのだった。

あなたも騙されたと思って、フランス式のプロ家事を実践して欲しい。どうせ子供が帰ってきて汚れるとか、どうせ食事の支度をすれば汚れると思うから、家事労働が報われないと感じることになる。もしもそこに、「わーっ、キレイ」とか「わーっ、ピカピカ」といった驚きの言葉があったらどうだろうか。

ザンバラ髪でお化粧っ気のないときのあなたと、メイクをしたときの気分がちがうように、キッチンがピカピカになると、いつもそこにいるあなたの気分もおのずと変わる。そしてなによりも、学校から帰ってきた子供たちの驚きの声が聞きたい。スッキリ片づいたキッチンを眺めながらの食事には、室温よりわずかに冷やしたワインがお似合いだ。

第四章

ストレス回避ですがすがしく生きる

思ったことを勇気を持って発言し、
せいせいした気分で毎日の生活と向き合おう。

フランセーズは必要以上にがんばらない

仕事に家事、こんなにがんばっているのに……と思ったら気をつけて

*どことなく不安だったり、虚ろな気分に襲われたら

がんばってはいけない。

今、この本のこのページを読んでおいでのあなたに、私は声を大にして申し上げる。そんなにしゃかりきになってがんばらないで、深呼吸。肩の力を抜いて無理にでも笑ってみよう。

そして、あなたのパートナーと今こそゆっくり、どんなことでもいいから語り合うではないか。といっても、喧嘩は絶対に売らないこと。

なにごとにもがんばってきたあなたは今、どことなく不安な思いでいませんか？

子供のころから、あなたが男だったらよかったのにと、お母さんからいわれていたあ

なた。学校の成績もよく、お友だちもたくさんいて、クラスの人気者だったあなた。社会人になってからもずっと、会社の上司から信頼され、仕事をテキパキとこなした。自分にノルマを課すことが好きで、仕事を成し終えた達成感に浸るのが好きだったあなた。

いい人、いい女を演じてきたはずのあなた。たまには怠け心が頭をもたげたことがあったとしても、仕事に家事に全力投球してきたはずのあなた。

そんなオールマイティーなあなたなのに、ときにどこか虚ろな気分に襲われているのではないですか。こんなにがんばっているのに、どこか変だと、最近になって失速しそうになっていませんか。

今のあなたが、そんな気持ちになっているとしたらそれは、たぶんがんばりすぎのせいだ。

＊パートナーと過ごす貴重な時間を割いてまで、しなければならないことですか

パリに長く住んでいた私は、さまざまな境遇のフランス人の女性たちとお付き合いした。

なに不自由なく暮らしているリッチなマダムもいたし、かつかつの生活をしていた初老のマドモアゼルもいた。きらびやかなキャリアを持って仕事に臨んでいる、子だくさんのマダムもいれば、大学を卒業して一〇年以上たってから、小学校の先生の資格を取るために復学し、最近になってやっと郊外の学校の先生になった女性もいる。夜の延長の未明、ご主人のトラックの助手席に乗り込み、ランジスと呼ばれる中央市場に鮮魚の仕入れにいっている魚屋さんのマダムもいた。

今、彼女たち一人一人の顔を思い出している私は、あることに気づいたのである。彼女たちのだれ一人として、今の自分の存在に虚無感を覚えている、つまり不安な思いをしている人がいないということに。いったい彼女たちと、私たち日本人とどこがちがっているのだろうか。

フランス人は、決してがんばらない。いや、がんばらないのではなくて、ごく自然体で暮らす。たとえば、目の前にどうしても片付けなければならない書類の束があったとする。私たち日本人は自らにノルマを課し、今日中に絶対に書類を整理してしまおうとねじり鉢巻で黙々と、お茶も飲まずに続ける。では、同じ書類の束の前でフランス人はどうするか。

きちんと書類に目をとおし、片っぱしから整理するのはもちろんだが、時間になればコーヒーを飲み、夕方になれば手のついていない書類が残っていようが、さっさと仕事をやめる。時間のたつのも忘れて、髪振り乱して書類の束に取り組むようなまねはしない。

夕食を終え、ソファーにくつろぎながらテレビを観る時間。あるいは彼とその日にあったことを、語り合うための時間。二人がともに過ごす貴重な時間を割いてまで、がんばらなくてはならないことなんて、そうあるものではないということを、彼女たちはよく知っているのである。きっと、フランス人は私たち日本人にこういうだろう。

「あなたがたはどうしてその書類を、今日中に整理してしまわなくてはならないの？人間は仕事をするために生まれてきたわけではないのよ」

＊バカンスは楽しむためではなく、なにもしないためにある

フランス人という人種は、根っから合理的にできている。だから必要以上にはがんばらない。がんばればがんばるほど、あとでドカーンと疲れがくるのを知っている。

私がそのことに気がついたのは、彼らとバカンスをともに過ごしたときだった。

一年をバカンスのために働くといっても過言ではないフランス人。イスラム圏の国ではないのだから、一年が元旦からはじまるカレンダーは、わが国と同じだ。ところがフランス人の体内カレンダーは、バカンスで明けてバカンスで暮れる。そして彼らのバカンスは、楽しむためのものではなく、本当の意味での休暇。つまり、なにもしないで心身ともにリラックスするための休暇だ。なにもしないことに飽きたときだけ、滞在している場所の近辺の地図を広げ、城砦や名所旧跡めぐりをする。仕事がオフになり休暇に入った人たちは、矢を放った後の弓のように、全身全霊を弛緩させるのである。

バカンスは国が定めた法律で規定されている。労働者の当然の権利だから、もちろん有給休暇だ。はじめて法律ができたのは一八一四年だが、確立したのは一九〇六年のこと。一九〇六年の日本はといえば、日露戦争が終わったばかりの時代。開国から富国強兵まっしぐらに突き進み、日清、日露に勝利したわが国で、人々が国をあげて休暇を云々するはずもない。

話をフランスに戻すと、第二次世界大戦のあと、バカンスの法定年次休暇はふえ続け、一九五六年に年間三週間、一九六九年にはさらにふえて四週間になり、一九八二年にはついに五週間になった。

フランスではバカンスは、労働者が取らなくてはならない義務である。したがって会社の上司は、部下にバカンスを取らせないと罰せられる。有給休暇が丸々残っていることを職務に忠実な証と自慢する社員は、フランスにはいない。仮にいたとしたら、即座に労働基準局のお役人が会社に乗り込んでくるだろう。バカンスが労働者の権利であると同時に義務というのも、いかにもフランス的だ。

バカンスの間は、休養を取るのが第一目標だから、絶対にがんばらない。ごく普通のバカンスではなるべく出費を控えるから、旅先のキッチン付きホテルを長期予約する。

だが、キッチンがあるといっても、ちゃんとした料理は作らない。全国津々浦々、朝の青空市のマルシェが立つから、洗っただけで食べられるような野菜と焼くだけの肉を買えばいい。後はバターと塩、胡椒、ワイン・ヴィネガーとオイルだけ買っておく。バカンス先では食事の仕度も、徹底して手を抜くのである。

散らかった部屋の片づけも、バカンスなのだから、みてみぬふりをする。洗濯はまとめてコイン・ランドリーに持っていき、乾燥まですませる。アイロンかけが必要な服は、バカンスには持っていかない。洗ったままのコットンの、着心地のいい服だけをトランクに詰める。

鳥のささやきで目覚め、フクロウの鳴き声を子守唄にベッドに入る。裸足にサンダルをつっかけ、土の上を歩き、草の上に寝転がる。灰色の空に甘んじていたパリの生活と決別し、大自然のオゾンを満喫。バカンスではだれもが、ひたすら心身を休めるのである。

海辺のバカンスもいい。

ある年の夏、私は親友のフランソワーズとバカンスを一緒に過ごした。パリを発つ前日に私は、読みたくて読み損なっていたなん冊もの本を鞄に入れた。一日一冊のペースで読めば、大量の読書ができると、心躍る思いでいたのだった。映画『男と女』の舞台になったノルマンディー地方の海辺で読書三昧に浸れると思うだけで、私はどんなに幸せだったことか。

ところが目的地に到着した翌日から、私は禁欲生活を強いられることになったのである。

一直線に伸びる水平線のかなたにカモメが飛び、ヨットがゆっくりと流れている。ビーチパラソルの影で、なん人ものセミヌードの女性たちが寝そべっている。近くのホテルで朝食をすませた人たちが三々五々集まり、昼食までの時間を思い思いのポーズで浜辺でくつろいでいる。

彼女たちを眺めながら私は、一刻も早くパリから持ってきていた本を読みはじめたいと思った。太陽の下でうつらうつらしながら、のんびり読書ができるなんて最高と、うきうきしながら本を取り出したまではよかった。数ページを貪るように読んでいた私に、隣で寝転がっていたフランソワーズがこういったのだった。

「ヨーコ、バカンスにきたのに、どうして本ばかり読んでいるの」

浜辺をみわたすと、それでもなん人かのフランス人は、読書をしていた。本を読むのは仕事ではないし、楽しみだと、そのときの私はフランソワーズにいおうかとも思ったが、やめた。ここはひとつ、フランス式に徹してバカンスを過ごしてみようと、とっさに考えたからである。なにもせず、頭の中を空っぽにして、身体をとことん休めるためのバカンスを。

とはいえ、子供たちはじっとしていない。私たちも子連れだったから、まずは子供の処遇が気になったのだが、そこはさすがというべきか、子供たちのために、専用の安全な囲いをした遊園地や子供用プールが別に用意されていた。

親たちが日なたぼっこをしている間、子供のことは心配無用。筋肉タイプのインストラクターが、子供たち相手にボール遊びや水遊びをしてくれる。

降りそそぐ太陽の下、ボーッとなにもしないで、いったいどのくらい退屈しないでいられるだろうかと、そのときに私の新たな挑戦がはじまったのだった。

仕事のために生活を犠牲にしていませんか

仕事より家庭が大事。今こそ、フランス人の労働意識に学ぼう

＊家庭内で夫の出番を作ってあげることこそ、夫への思いやり

土曜日の遅い朝、ベッドまでカフェ・オ・レとクロワッサンを運んでくれなくてもいい。

洋服は一人で買うから、いちいちついてきて試着室のカーテンの陰から声をかけてくれなくてもいい。切れた電球を取り替えるために梯子を運んでいるからといって、慌てて飛んできてくれなくてもいい。昼近くまでゆっくり眠った週末の、ブランチの支度はのんびり遊び気分だから、歌でも歌いながら一人で十分。

ここはフランスではなく日本なのだから、夫が家にいるからといって、いちいち妻の私のすることにちょっかいはださないで。男性がいなくて困るようでは、いざとい

うときどうするの。

小学校から大学を卒業するまで男子学生と席を並べてきたのだから、あなたは自分でなんでもできる。女だからというエクスキューズは、あなたにも私にも通用しない。

今さら男性がいなくては埒《らち》があかないようでは、女としてふがいないし母親としても失格だ……気がついたらいつの間にか私たちは、とてつもなく逞しい女になっていたのである。自分ができることは、とりあえずなんでもしようと、それが自立した女性の姿だと信じて、あなたも私も生きてきた。男性に頼られるのもいやだけれども、なよなよと彼らにしなだれかかるのも、女として潔しとしない。強がりなんかではなく、ごく当たり前にものごとをテキパキこなしてきたけれど、最近になってそんな自分の今までのポリシーが翳《かげ》りはじめている。

もしかしたら人生には、できるのがわかっていても、してはいけないことがあるのではないかと、ときに思うようになったからだ。簡単にいってしまえば、家庭内で男性の出番を作ってあげることこそ彼への思いやりだし、女性としてのありかたなのかもしれないと、私は思うようになったのである。

穏やかな午後の光に包まれた公園のベンチで、語り合っているフランス人夫婦の姿を目にしたとき、ふっとそんな思いに私はとらわれていた。

しょせん日本人とフランス人はちがう。人間がちがうのではなく、風俗も生活習慣もちがう。社会制度もちがうし、夫の家族との付き合いかたなどの家族関係もちがう。老後の生活設計もちがえば、なによりも金銭感覚だってちがう。

私たち日本人が培ってきた意識とフランス人のそれがちがうのだから、単純に羨ましがったり比べたりするのはナンセンスだ。それよりも生活を楽しむことにかけては天才肌の、彼らの男女観を見習おう。そこにはきっと、見通しがよくて快適な男女のあり方が潜んでいるにちがいないから。

＊フランスには、結婚して会社を辞める女性はいない

ちがいを認めたうえでもう一度、フランス人の価値観をひもといてみたい。

というのも、フランスには結婚して会社を辞める女性はいない。子供をなん人か育てながら仕事を続け、おまけに十分におしゃれな彼女たちをみていると、私たち日本の女性たちにとって参考になりそうな部分があるからだ。

結婚しない男女がふえ、ますます少子化が進む日本の将来を憂えてばかりいるのはよそう。

三〇歳半ばで結婚していないからといって、自分たちをイヌにたとえてそのまま一生独身でとおす決心などしないで欲しい。女性のあなたたちが独身でいるということは、同じように独身の男性たちがこの世の中に大勢いるということだ。仕事に有能だということが証明されているあなたたちは、プライベートでもまちがいなく有能さを発揮するにちがいない。恋愛に年齢制限など設けないで、自分の満足のいく生活をつかんで欲しい。

バブル経済が終わり低成長時代を迎え、給料が減ったとしても、餓死する心配はない。教育現場の荒廃を危惧し、私学に通わせるための費用を考えて電卓をたたき、挙句の果てに子供はお金の無駄遣いとばかりにディンクスを通そうとするカップルは、今一度本当に子供を望まないのか夫婦で考えて欲しい。

こんなことばかり並べていると、私はまるで子供がいなければ人間失格だといっているようだが、まったくそうではない。私の大好きな人たちに独身者も多いし、まわりに子供のいないカップルは多い。彼らの多くは、人格的にも均整がとれた素晴らしい人たちだ。結婚も子供も、「ねばならない」ものでは決してない。結婚についてては、しなければよかったと思う人もいなくはないが、子供に関する限り、子供を生まなければよかったと思う女性はいないと、半年前にママになったばかりの親友がいみじくもいっていた言葉が、すべてを物語る。

男と女、家族や子供について考えてみると、ここはひとつフランス人の生活観に見習う点がありはしないかと、私は思えてきたのである。

＊あなたの人生、会社のためにあるのではないことはたしかです

インスピレーション・ゲームのように、フランス人といえば、個人主義という言葉がかえってくる。彼らの個人主義にも、見習うべきものがたくさんある。彼らはまず、仕事はなんのためのものかを、よく自覚している。

仕事は……、労働の再生産費を稼ぐためにある、などといったら、前代の遺物になってしまったマルクス主義者と誤解されかねないが、広義にはあながちまちがってはいない。生活を維持するためのお金を得るために、私たちは働く。できればやりがいのある仕事であって欲しいし、楽しく仕事ができるにこしたことはない。これについてはフランス人だけでなく、世界じゅうのだれもが願っているはずだ。

仕事＝生活とか、仕事人間という言葉は、フランス人には考えられない。ましてや仕事に寝食を忘れ、家族を顧みないことなど、フランス人にとっては論外どころかご法度である。そんなことになったら、まずパートナーが黙ってはいない。

「仕事と私のどちらが大切なの」というセリフも、フランス人の彼ら彼女たちにはおどし文句ではすまない。自分たちの生活あってこその仕事なのだから、キミよりも仕事が大事などと口が滑ろうものなら、即離婚訴訟に突入だ。即離婚の理由は、夫が妻よりも仕事に価値をみいだしているからではない。仕事と家庭を比較するほどアホな男だったかと呆れて、妻が夫にたたきつける三行半《みくだりはん》だ。

滅私奉公、会社のために私生活のすべてをなげうつなど、フランス人にとっては本末転倒もはなはだしい。私たち日本人もそろそろ、フランス人のような意識で、自分と仕事の関係を整理してみる時期にきているのではないだろうか。

イケイケの仕事人間で働いてきた先輩たちが築いた日本資本主義にガタがきているのだから、私たちは労働者としての意識の変革に迫られているのではないだろうか。かといって私は、ひと昔前の労組の回し者ではないし、社会主義者でもない。天文学的な倍率をかいくぐって入社した会社であったとしても、自分の健康を脅かしてまで、会社に忠義をつくすのはおかしいのではないかと人々が思う時代になったのではないかと、ささやかに問題を提起しているにすぎない。

女子社員もしかるべき時期に結婚し、いい家庭を築きながら仕事に精を出して欲しい。それが社長さん以下、管理職のオジサマがたの正直な気持ちだと思う。社長さんにも奥さんがいるだろうし、娘さんもいるだろう。自分の娘には結婚して幸せな家庭を築いて欲しいと望みながら、自分の会社の女子社員に独身をとおせなどという、身勝手な人が管理職として務まるはずがない。それになんといっても、女子社員が結婚する相手は、オジサマたちと同性の男性諸君なのだから。

女性たちの多くが、会社の仕事と家庭の両立は難しいと思っている。たしかにわが国では難しいかもしれないが、フランス女性たちにできて私たちにできないはずはない。

最近ではほとんどの大手会社で、女子社員の産休や育児休暇を明記しているにもかかわらず、有給休暇を使わないのが、まるで誉れでもあるかのような風潮がある。休まずに働くことが出世につながると、多くの社員は錯覚しているからだ。中には有給をすべて取っていたら、仕事のノルマがこなせないと嘆く人もいるだろう。そんなときにフランス人のことを思い出してみよう。

バカンス休暇を取らずに働きたいと申し出たとして、フランスの会社はそれを認めない。社員は休暇を取る権利と同時に、休暇を取る義務も負っているからだ。休む必要があるから、会社が有給休暇を用意している。そう思えば、女子社員が産休や育児休暇の申請を躊躇《ちゅうちょ》するほうがおかしい。

必要だから設けられているのだから、率先して休みを取ろう。そしてそういうときにこそ、みんなで渡れば怖くないという、あのコピーの意味も生きるというものだ。産休も育児休暇も、みんなが取れば怖くない。そうでもしないと、この国の少子化に、いつまでたっても歯止めはかからない。

男性だけが外で働き、女性は家庭に入って家事だけを受け持てばいい世の中ではなくなっているのだから、おたがいの領分を理解しあうことこそ先決ではないだろうか。

「私がいないとやっていけない」にサヨナラ

あなたがいないという非常事態でも、家族が困らない体制を作っておこう

＊いい大人になるために子供を躾る

「ウチの主人、私がいないと靴下もさがせないのよ」

こういう奥さんって、いったいなにをどう考えているのだろうか。

家庭生活ではどこの家でも、お母さんのあなたがいなくては子供たちも困るし、妻のあなたが家庭をきちんとみてくれているから、夫は安心して外で仕事に熱中できる。

だが世の中、いつ、なにが起こるかわからない。あなたが急病で倒れることも、絶対にないとは限らない。あなたの実家でなにかあって、あなたが家を空けることになるかもしれない。

一日や二日ならどうにかなるだろうが、不測の事態がいつ発生するかわからない。そんなときのために母親であり妻のあなたは日ごろから、自分がいなくても子供や夫が困らないように仕向けておくべきではないだろうか。

自分がいなくてはにっちもさっちもいかないと思いたい、あなたの気持ちもわからないではない。だれかに必要とされることの快感はあるが、それとこれは別。家計費にも、予備費というものがある。災害に備え、非常食というものもある。

ご主人に生命保険をかけているからといって安心しないで、あなたがいないという非常事態でも、家族が最低限困らないようにしておくのも、主婦の役目ではないだろうか。危機管理というと官僚的な印象を受けるけれども、家庭生活にも危機管理の意識は必要だ。

その点フランスでは、夫や子供たちの躾が徹底している。奥さんがいないと靴下もさがせない夫なんて、フランスには一人もいないはずだ。かといって、夫を躾けるのは妻だけの役目ではない。男の子は幼いうちに母親から、徹底的にしごかれるからだ。

幼稚園でも小学校でも、担任の先生は教室での雑用を女の子ではなく、男の子に命じる。たとえば教室の窓を開けるとか、机の上の重い本を職員室に運ぶことや花瓶の水を取り替えることなどは、女生徒にたのまないで男子生徒にさせる。先生は自分の家庭でもそうなのだが、いつも決まってクラスの男の子たちをアゴで使うのである。

母親によく躾けられた男の子が、大学生になって同棲生活をはじめ、やがて女性と結婚して家庭を持ち、夫になる。少年が大学生になり夫になる成長過程で、よく躾けられているおかげで彼らはテキパキと家事をこなす。料理の腕前は同棲している彼女や妻よりも上だと、自他共に認める男性たちは多い。

それでも会社で役職が上がり、仕事に忙殺されるようになれば、パートナーは彼の立場を理解して料理を作れとはいわない。そしてそのころには、手がかかった子供も大きく育ち、家事を分担しなくても中年夫婦でバランスのよい生活ができる時期になっている。

*フランスのごく普通の男性たちの日常

それでは、よく躾けられているフランスの男性たちの日常を覗いてみよう。登場するパリジャンの名前はジャン（J）で、奥さんの名前がイヴォンヌ。小学生の息子はギャリ（G）で、幼稚園児の妹はニノン（N）。

土曜日の遅い朝、パパのジャンは隣の部屋から聞こえてくる子供たちの話し声で目覚める。彼の隣ではすやすやと寝息をたてて、妻のイヴォンヌが眠っている。彼女を起こさないように静かにベッドを抜け出したジャンは、前夜に脱ぎっぱなしで椅子にかけておいたGパンとトレーナーを抱えて夫婦の寝室から抜け出した。洗面所で着替えをすませた彼は子供部屋で遊んでいた子供たちを、キッチンに誘った。

J：おはよう、ギャリとニノン。二人ともキッチンにきなさい、プチ・デジュネ（朝食）だよ。

G：パパ、おはよう。ママはいないの。

J：ママはまだ眠っているから、パパと朝ごはんにしようよ。ギャリ、冷蔵庫から牛乳とバター、ジャムを出して、テーブルに置いてくれる。

N：パパ、のどが渇いたから、ジュースちょうだい。

J：今、オレンジを絞るから待っててね、ニノン。ギャリ、そこのオレンジの入った袋を取ってくれるかな。そしてジュース用のコップを、テーブルに並べてくれる。これを食べたら着替えをして、パパと青空市のマルシェに買い物にいこう。

ジャンは調理台で半分に切ったオレンジを力いっぱい絞り、三つのコップの半分までジュースを入れてから、前日に残ったバゲットを縦に二つに切り、トースターに入れる。フィリップスのコーヒーメーカーがボコボコと音を立てはじめ、こんがり焼けたバゲットの香りが、キッチンに漂っている。バゲットにバターとジャムをたっぷり塗り、二人の子供に渡しながら、ジャンは食事をすませてから、冷蔵庫にある食材を点検するのを忘れない。

子供たちの着替えをすませ、室内履きを靴に履き替えさせて、ジャンは二人の子供たちの靴の紐をしっかり結んでやった。そして玄関近くの納戸にしまってある買い物籠を取り出し、ニノンとギャリの手を引いて、ジャンは賑やかな週末のマルシェに向かった。

日曜の午前中にいつも、イヴォンヌが一週間分の食料をまとめ買いすることになっているから、土曜のこのときにジャンが買うのは、家に戻って家族で食べる、遅い昼食と夜のディナーのための食材だけでいい。ランチのために焼きたてのロースト・チキンを一羽とレタスとキュウリ、デザートのヨーグルトを買った。次はディナーのためのステーキ肉を人数分とチーズ屋でなん種類ものチーズを選ぶ。最後にいつものパン屋でバゲットを一本買った。家族四人、二食分の食材の入った買い物籠を下げ、ギャリとニノンを連れたジャンは、イヴォンヌはもう起きたかしらと子供たちと喋りながら、自宅に戻る。

家では起きたばかりのイヴォンヌが、買い物から帰ったジャンと子供たちをにこやかに迎えた。そそくさと手を洗いジャンはまた、買ってきたばかりの熱々のロースト・チキンを買い物籠から出しながら、ギャリにこう頼むのだった。

Ｊ：ギャリ、手を洗ったら、みんなのお皿、ナイフとフォークをテーブルに並べてくれる。そしてナプキンとグラスを用意するのも忘れないで。それが終わったら、籠からバゲットを出しておいてくれるかな、パパが切るから。

＊父親として、子供たちが困らない程度の家事をマスター

東京でも最近、フランス人男性と連れ立って歩いている日本人女性の姿をよくみかける。日仏カップルを眺めながら私は、彼らはきっと、パリのジャンとイヴォンヌの日常を東京で再現しているにちがいないと思う。

日本人の男性たちにフランス人の男性を見習えという気は毛頭ない。彼らとは育った環境がちがうし、なによりも親たちが演じている日常が日仏でまったく異なっている。外人コンプレックスとは無縁の私は、ジャンのような男性がいるフランスが日本よりいいとは思わない。どこの国も、一長一短ある。生活レベルでは、日本のほうがいい部分も多々あるからだ。

ただ、日本の男性にも有事のときには父親として夫として、幼い子供たちが困らない程度の家事をマスターしてもらっておいたほうがいい。実家の母親や姑をたよることもできる。あるいはたよってあげたほうが、お姑さんはあなたをかわいいお嫁さんだと思ってくれるかもしれない。それにしても、一応は二人の力でどうにかできる体制を作っておこう。奥さんのあなたがいなくては夫や子供が身動きできない状態になってしまうことが、みすみす目にみえていながら放置しておくなんて、理性のある大人のあなたがすることとは思えない。

わが国は戦争こそないが地震や災害は起こる。あなたが交通事故に巻き込まれないとも限らない。そんな不安を抱えた現代を生きる私たちは、いついかなる場合にも生きていける術を身につけることが先決なのではないだろうか。

だからそろそろ、私がいないとやっていけないというナルシスティックな気持ちにさようならしよう。

キレているのは、大人の方では

親たちがまず、ごまかしをやめて自分の納得がいくように生きよう

＊くりかえされる同じ質問に、いつも同じ答えを出せる母親

家の前を毎日とおる母子がいた。わが家の道路側に面した、私の部屋の窓の下をとおる男の子が、いつも母親に同じことを二度問いかけていた。

「ねえねえ、ママ。ママはどの動物が好き？」

するとお母さんが決まって、こういう。

「エーッ、動物……。そうね、乗るなら馬。飼うなら犬。食べるなら牛」

窓ガラスごしに母子の会話をはじめて耳にした私は、子供のせっかくの問いかけに、すぐに応えてあげない母親の冷たさに内心、気が気ではなかった。当の母親は意識していなそうだが、いつも男の子が同じ質問を二度くりかえした。一度目の質問

を、母親は聞こえなかったかのように完全に無視する。二度目の同じ質問になると、決まってこう答えるのである。それも少しもったいぶった感じに、無愛想にこういうのである。

この母親がどんな女性で、男の子がいくつなのか私は知らない。最初に母子の会話を聞いてからなん度目かの朝、私は、急いで外に出て母子の後姿だけでもみておきたい衝動に駆られた。一方で私は、絶妙なタイミングでくりかえされるその母子の会話によって私に喚起するイマジネーションが、後姿をみてしまうことで削がれることが怖くて、彼らの後を追うのをやめた。

そしていつの間にか、私の部屋の窓の下をとおると条件反射のように、母親に同じ質問をする男の子はどこかへいってしまった。家族で郊外の広いマンションにでも引っ越したのだろうか。それとも保育園に通っていた坊やが小学生になり、母親に手を引かれなくても、一人で通学するようになったのかもしれないし、母親が勤めていた会社を辞めたのかもしれない。そしてやっぱりあのときに、男の子の後姿だけでもみておくべきだったと思う。彼らの声を聞いて私の部屋から飛び出し、階段を駆け下りなかったことが、今ではほんのちょっぴり悔やまれる。

あのときの坊やが大人になり、いつか私の住む神楽坂にくることがあったら思い出すだろうか。幼かった一時、この道をとおるたびにお母さんと動物の話をしたことを。

坊やがとおった道に面した部屋で、私が自分と母親の会話に聞き耳を立てていたことなど、彼は知る由もない。顔も姿かたちもわからないけれども、あんなに個性的だった坊やはあれから、どんな子供に成長し、どんな大人になっていくのだろう。

今にして思うと、男の子の母親は大そうものわかった女性だったような気がする。子供は素直さから、同じ場所で同じ質問をくりかえす。もう少し優しく男の子の質問に答えてあげればいいものをと、彼らの会話を部屋で聞いていて私はあのときには思った。だが、そんな必要はなかったと、今では思っている。子供のしつこくりかえされる同じ質問に、あのときの彼女のようにいつも同じ答えを出せる母親こそ、珍しいと思うようになったからだ。一度だって彼女は、うるさいとはいわなかった。そしてなによりも坊やは、自分の母親が無愛想だなんて思ってはいなかった。ママは、紛れもなく世界じゅうで一番好きな人なのだという坊やの思いが、今も私の耳に残っている。

輝く個性を秘めているのは、あの坊やだけではない。母親の買い物について、スーパーにきている子供。ニンジン、キュウリ、トマト、大根と陳列棚に並んだ野菜の名前をじゅんぐりに、大きな声でいう子供がいる。彼の頭の中にはきっと、壮大な野菜畑が広がっているにちがいない。

＊日本の家庭や学校に、子供たちのエネルギーの受け皿がない

私が長く暮らしたパリには、リュクサンブール公園といって、パリっ子たちに親しまれている大きな公園がある。今、私が住んでいる家の界隈には、残念ながらリュクサンブール公園に匹敵するほどおおらかな公園はないけれども、白銀公園といって、なかなか楽しい公園がある。

パリに住んでいたころ、一緒に公園にいってくれていた娘がもはや社会人になってしまい、公園用の子供がいなくなってしまった私は、週末の午後散歩がてらよく近所の白銀公園に立ち寄る。そこで遊んでいる子供たちを一人ずつ眺めていると、一人一人の子供が思い思いの遊びかたを考え、だれ一人として同じことをしていない。ボール遊びに興じている子供たちは、だれの指示がなくてもちゃんと自分の持ち場を守り、しっかりと遊んでいる。

自由な発想で手足を動かし、無限の可能性を信じて遊んでいる彼らをみていると、個性派教育とか、モノづくり教育を大上段に掲げているお偉いさんたちの真意がわか

らない。フランスの子供たちを山ほど眺めてきた私の目には、日本の子供たちだけが没個性だとはどうしても思えない。それどころか遊んでいるときの子供たちに、日仏のちがいはない。それがどうして、授業での発言や教室での姿勢、家庭での父親に対する態度に両国の差異が顕著に現れるのだろう。わが国ではキレる子供たちが社会問題になっているが、私の目の前にいる子供たちのどこに、キレる要素が潜んでいるのだろう。日本の子供たちと同じように遊んでいるフランスの子供たちはキレないのに、なぜ日本の子供ばかりがキレるのだろうか。

フランスの子供に限って、いい子なわけではない。生まれてから高校を卒業するまでフランスの普通の公立学校に通った私の娘にいわせると、いい子という点では日本の子供のほうがまちがいなくいい子だという。フランスにもいたずらっ子もいるし、授業についていけない子供もいる。忘れ物の常習犯もいれば、授業中に騒いだからといって、廊下に立たされる子供もいる。だが、わが国のマスコミを騒がしているようなな、プッツンとキレてしまう子供は、フランスにはいない。

無心に遊んでいる子供たちを眺めながら私は、もしかしたらわが国の家庭や学校に、彼らのエネルギーの受け皿がないのではないだろうかと思うようになった。学校とは子供たちに全人格的に接しているはずの先生のことだし、家庭とは子供にとって社会からのシェルターにも匹敵する、安らぎを与えてくれるはずの、唯一無二の存在である親たちのことに他ならない。

私の部屋の窓の下をとおっていた坊やの、少なくとも毎朝私の部屋の下をとおっていた時間の彼にとっての受け皿は、無愛想なりに息子の質問に的確に答えていた母親だった。ママの好きな動物の名前を教えて欲しいと望んだ坊やの、知りたいエネルギーをあのときの母親は、見事に受け止めていたのである。坊やが納得する答えを、あの母親はそのつどかえしていたのだから。フランスの母親たちも、少なくとも自分の子どもの要求には、そのつど的確に答えていたのではなかったか。

＊相手が納得するまで詳しく説明するという、フランス人のＤＮＡ

隣人愛をうたうキリスト教のお国柄とは思えないほど、フランス女性は付き合いにくい。

同じくキリスト教精神の支柱をなしている博愛心なども、日ごろの彼女たちからはつゆほども感じられない。具体的な例を挙げてみよう。たとえば郵便局の窓口に座っている事務員がそうだ。

パリの郵便局はどこも、かなり待つ覚悟が必要だ。長い列に並び、さんざん待たされたあげくに、ようやく私の番になったかと思うと突然、私の目の前にフェルメ（閉鎖）と書かれた看板を突きつけられたことなど、日常茶飯だった。窓口を閉めるのなら、どうして先にそれをいわないのか。なん十回となく私は、住んでいた近くの郵便局で同じ悲哀を味わったが、もちろん被害者は私ばかりではない。私が黙って耐えていると、私の後ろに並んで待っていたフランス人からいっせいにブーイングが起きた。だが、お客の激しい抗議にも、彼女は断固として屈しない。利用者が強く抗議したとして、閉鎖と記された看板が外されたことは、一度だってなかった。ところが鬼のような窓口の事務員も、お客さんの質問には際限なく親切に答えるのである。

たとえば、戦時下のクロアチアに送金をしたいけれども、どうしたらいいかとか、バカンスで留守にする間の郵便物を転送して欲しいという手続き上の厄介な質問には、どんなに後ろで待っている人たちがいても、お客さんが納得するまで詳しく説明するのである。そんな彼女たちのＤＮＡはフランスのママたちにも共通している。路上であろうが公園であろうが、子供が泣こうが騒ごうが、いうことを聞かなかった子供にママたちは、情け容赦なく罰を加える。死ぬほど泣きじゃくる子供の横を、だれもがなに食わぬ顔でとおり過ぎていく。ところがそんなママたちがなんとも気長に、子供の「なぜ、どうして」に答えるのである。

子供の好奇心からの質問だけでなく、遊びたいとか食べたいといった子供のリクエストについても、ダメのひと言ですませることを彼女たちはしない。アイスクリームを買ってとせがむ子供に向かい、フランス人のママならこう答える。

「今、アイスクリームを食べたら、美味しいご飯が食べられなくなるからよしましょう」

こう書いているだけでは、フランスのママたちの強権の実態はおわかりいただけないと思うが、親権の絶大さについては、日本の比ではない。

わが国には「泣く子と地頭には勝てぬ」という諺があるが、フランスでいくら子供が泣いても、絶対に親には勝てない。その代わり親は、なにかにつけて子供が納得するまで話して聞かせるのである。

私たち大人が万事に納得したいと思うなら、子供だって納得したい。お母さんは家にいるのに、どうしてボクは学校へいかなくてはならないのか。お父さんは家でテレビばかり観ているのに、どうして私だけが勉強しなくてはならないのか。算数の百問ドリルをまちがえると、ゆっくり落ち着いて考えなさいというのに、どうしていつも急いでご飯を食べろというのか。お母さんはボクたちと一緒にご飯を食べないのに、どうしてボクが自分の部屋でご飯を食べてはいけないのか。お母さんはおばあちゃんのいうことを聞かないのに、どうして私はお母さんの命令に従わなくてはいけないのか。子供には子供の、どうしても納得がいかないことがある。

＊鬱憤を貯め込んだ親たちが、無意識に子供にもガマンを強いている

当たり前のことのようだが、私たちのまわりには現在、あまりにも納得のいかないことが多すぎる。たとえば、車内でタバコを吸っている人がいても、だれも文句をいわない。日比谷公園にホームレスがたむろし、一般市民は彼らが放つ悪臭に顔を背けるばかりだ。公園は一般市民がくつろぐための施設なのだから、私たちが安心して歩けない公園があってはならないはずだ。税金をきちんと納めている私たち一般市民を犠牲にしてまで、ホームレスの人権を過剰に尊重する国なんて、日本以外にない。考えれば考えるほど、私たちの鬱憤は募るばかりだ。それならばアンタが政治家になりなさいよといわれると困るから、だれもが沈黙を決め込む。

家の外での鬱憤に沈黙を決め込む親たちは、ガマンの代償でもあるかのように、子供にも鬱憤への沈黙を強いてはいないだろうか。無意識のうちに子供にも、ガマンを強いているのではないか。政治がよくないのは、自分が選挙にいかなかったから仕方がないと諦めるように、私たち大人はジレンマに押しつぶされそうになっている。

子供たちがキレるのは、そんな大人たちに子供がシビレを切らしているというサインなのではないだろうか。

今ここで、私たち親がものごとを曖昧にせず、納得のいく回答を自分自身に出したら、子供も理由のわからないキレ方はしないはずだ。政治とか経済の問題を解決しようにも、さすがに個人レベルでは難しい。だからせめて、身のまわりの細かなジレンマから大人たち自らを解放しよう。たとえば電車の中でタバコを吸っている高校生がいたら、殴られる覚悟をしてでも注意をする。父母会の最中、携帯電話で喋っているママがいたら、先生に失礼だと彼女に注意する。身近なところで私たちがまっとうな行動をとることで、子供を救うことができるのではないだろうか。

古くからいわれているではないか、子は親の鏡だと。子供ばかりがキレるのではなく、キレているのは私たち大人ではないだろうか。私たち大人がものごとを真剣に考え、ごまかしをやめて自分の納得がいくように生きようとしたなら、そんな私たちを子供たちも見習うにちがいない。子供がキレるとしたら、それは私たちに向かってまっとうに生きろよ、という警鐘なのではないだろうか。

ノーが出せないあなたに

納得できないことには、勇気を持って首を横に振り、ノーといおう

＊作り笑いをやめて、せいせいした気分で毎日の生活と向き合おう

この小見出しを書きながら私は、「イエスがいえないパリジェンヌ」もありだと思った。パリジェンヌというよりも、フランス女性はことに当たって素直に頷いては沽券にかかわるとばかりに、首を縦に振らない人たちである。

ところで私たちは、いとも簡単にニコニコと笑顔でイエスといいながら、ときに不満を内心に抱えこんでいることはないか。たとえば子供の学校のＰＴＡで、あるいは地域のボランティア活動の場で、あなたは、だれかがあなたの意に反していったことに、心ならずも同調してしまうこともあるのではないか。知らず知らずの内に、そんな小さな不満が鬱積し、やがて爆発。それは他のだれのせいでもない、ノーがいえな

かったあなたの自己嫌悪となって、ひいてはお肌のくすみにもつながる。

無理な作り笑いをやめて、思ったことを勇気を持って発言し、せいせいした気分で毎日の生活と向き合おう。

高価なシワ取りクリームにトライする前に、すがすがしい気持ちで笑ってみよう。鏡に映ったあなたをみれば、どんなコスメよりもリラックスした微笑みこそ若さの秘訣と気づくにちがいない。

今日のお夕飯、なににしようかしら。焼き魚にしようか、豚肉の生姜焼きにしようか悩み、焼き魚にノーをだしたとしても、そんなことはあなたが決めることだから、なんのストレスにもならない。それよりも、主婦のストレスの大半は女性同士の会話に潜んでいる。子供の学校のことに無関心で、家事に非協力的な夫と話していてもストレスになるけれども、やがて諦める習性が、あなたにはできあがっている。心の中ではいつも、仕事をして給料を運んでくる夫に、少なからず感謝しているはずだから。ところが女性同士となると、話はちがう。

子供の学校のPTAが主催するイベントで、地域活動で、奥さんたちの間で、さまざまな軋轢《あつれき》が生じる。夫にそのことを話せば、またかといやな顔をされるあなた。あなたの夫にとっては取るに足らないような些細なことかもしれないが、どれもズシンと胸に突き刺さる。そんなときのストレス回避法はないものだろうか。半ば強制された形で、不本意なイエスを出さずにすませる妙案は、ないものだろうか。そこで世界で一番ノーの言葉がお似合いな、コケティッシュなパリジェンヌ魂を見習ってみよう。

＊サラダにサンドイッチ……小学校の行事にママたちが用意する料理は自由

幼稚園でも小学校でも、たとえば学年末の学芸会でも、ママたちが協力してひとつのことをする機会がフランスにはない。自分たちのDNAに共同作業が苦手という項目が刷り込まれていることを、彼女たちは知っている。ママたちの中に専業主婦がほとんどいないこともあるが、土日は必ずお休みだから、してできないこともないけど、しない。

毎年、バカンスを前にした六月末の土曜日、幼稚園や小学校ではケルメス(Kermesse)と呼ばれる学校単位のお祭りをする。校長先生が熱心な学校では、わが国のお遊戯会のような子供のお芝居やダンスなどのだし物を企画する。バカンス目前の土曜の、賑やかな子供たちと両親、先生方の親睦を兼ねたお祭りが、パリじゅうの小さな校庭でくりひろげられるのである。

そのひと月ほど前に、学校の掲示板にケルメス開催の日時が張り出される。在校生だけでなく、卒業生の参加も大歓迎。中学や高校でも行われるが、両親やお兄さん、お姉さんも加わるイベントは、幼稚園と小学校に限る。

ケルメスでは、ママたちが用意したサラダやサンドイッチ、お菓子のタルトやクッキー、ガトー・ショコラなどが振る舞われる。学校によっては、入場券を二百円ほどで売ることもあるが、私の娘がお世話になった学校はどこも無料だった。

年に一度のケルメスだから、さぞかし準備が大変だろうと思うのは日本のお母さんたちで、フランスのケルメスは準備なしだ。日本の駐在員の子供さんたちが多く通うインターナショナル・スクールやアメリカン・スクールでは、その時期にバザーを開き、学校側から頼まれて日本人のお母さんたちがお手伝いをしていたようだが、実際のところを私は知らない。私たち母娘が参加したのは、パリ市立の幼稚園と小学校である。

お遊戯会やダンスについては、事前に先生と子供たちで練習をするものの、お祭りの準備にママたちが手伝いにかりだされることはない。それなのに時間になれば、猫の額ほどの校庭に設えられたにわか作りのテーブルの上には、食べきれないほどの食べ物が並ぶ。サンドイッチ、ロースト・ビーフ、なん種類ものサラダ、梨のタルトやアップル・パイ、ガトー・ショコラ、フルーツ・サラダにボンボン。大皿に盛られたチーズ、それにマルシェで売られているままのリンゴも加わり、盛大なガーデン・パーティーがはじまる。

ケルメスの準備係りは、先生と給食のオバサンたち。彼女たちが手分けして、紙コップと紙ナプキン、ジュースやコーラの大瓶を買いそろえる。テーブルに白い模造紙をかけ、風で飛ばないようにジュースのボトルで押さえる。白い紙を敷いたテーブルはやがて、余白がなくなるほどのお料理で埋まるのである。

大きなパイレックスの透明なボール一杯に、サラダを作って持参するママがいる。ハムとチーズがたっぷり入った棒パンのバゲットで、サンドイッチを作ってくるママがいる。故国の放送局でアナウンサーをしていたというブラジル美人のママは、子供がその幼稚園に通っていた三年間に三度、ブラジル料理をこしらえてきた。うずら豆と柔らかく煮た牛肉の煮込みを食べると、遠くブラジルのリオのカーニバルが思い浮かぶような、濃厚で情熱的な味がした。

サラダ・デュ・リといって、お米のサラダを持ってくるママがいた。リ（riz）というのは、お米のことである。その場でただ一人の日本人の私に、わざわざ紙のお皿にそのサラダを入れて、持ってきてくれたマダム。ニッコリ笑いながら彼女は、お米はあなたの国の食べ物でしょうといった。赤と緑の生のピーマンと黄色のホール・コーン、キュウリなど、色とりどりの野菜に、イタリア産の長米がみえ隠れしたサラダ・デュ・リ。あのときのお米のサラダは、彼女が日本人の私に食べさせてくれようとして、わざわざ考えてくれたものだった。そして私は、ワイン・ヴィネガーがほどよく利いたお米のサラダをお代わりするほどいただいた。今でも東京でサラダ・デュ・リを作るたび、娘の幼稚園で催されたそのときのケルメスを思い出す。ブラジル料理の牛肉の煮込みとお米のサラダは、パリのケルメスが私に教えてくれた、ノスタルジックな料理になった。

ダンスやお遊戯の舞台を終え、お昼近くなってお腹が空いた子供たちが、いっせいにガトー・ショコラやタルトが並んだテーブルに殺到する。デザートの前にメインの料理を食べなくてはならないことが分かってはいても、ケルメスのときばかりはマナー違反も許されるというわけである。

ママたち持ちよりの、手のかからないお料理を盛った紙のお皿を片手に、先生も給食のオバサンも、その日で授業が終わり、子供たちの一年がつつがなくすんだことを喜び合う。同じ幼稚園や小学校を卒業したお姉さんやお兄さんたち、中には校長先生の教え子だったという立派な青年やムッシュも交え、年に一度のケルメスが和気藹々《あいあい》のうちに夕方近くにお開きになる。空になったパイレックスのボールや、ムースが入っていた大皿、ガトー・ショコラがのっていた皿が、ひとつ、またひとつと、ママたちの持っていたスーパーのビニール袋に収まる。汚れてしまった模造紙の上に残っている、引き取り手のないお皿やケーキ型を、給食のオバサンや先生方が給食ルームに持ち込む。土曜日の午後だもの、器の持ち主はきっと他に用があって、お祭りの最後を待たずに子供を連れて帰っていったのだろう。残った容器は、次にママたちが学校へくるときまで、給食ルームに保管される。

だれが、なにを持ってくるかということは、ケルメスの当日になるまでわからない。中には手ぶらできて、お腹一杯食べて帰る親子もいる。並んでいるお料理の数からすれば、手ぶら組のほうがはるかに多い計算になるが、それを咎めることをだれもしない。美味しかった、楽しかった、ご馳走様。またバカンス明けに会いましょうと、ケルメスは幕を閉じるのである。

パリの幼稚園や小学校での催しは、ケルメスだけでなくクリスマスのパーティーも、こんな調子でなん十年も続いている。私はよく、海苔巻きや焼きとり、エビフライをたくさん用意した。フランス人がオムレツと呼んでいた、日本式の甘い玉子焼きとエビフライがとくに評判がよかった。だがそんなときも、持ってくることをたのまれたことはない。玉子焼きも焼きとり、コロッケ、エビフライのどれもが、テーブルにのったとたん、近くにいた親や、先生方にとても感謝された。ヨーコ、ありがとうといわれ、校長先生や他の先生方からビーズ、つまりほっぺたにするキッスをいただいた。それも三度もお礼の心がこもった優しいキッスを。

＊フランセーズになったつもりで、ノンといおう

ケルメスの料理を作れと強制されたとしたら、きっとフランス人のママたちはむくれたにちがいない。どうしてこの私が、土曜日の午前中に作らなくてはならないのと。先生も給食のオバサンも、そんなことはいわない。ケルメスという学年末のお祭りは一年の学業を無事に終えたことを喜ぶイベントだから、作りたい人だけが、作って持ってきてくれればそれでいい。

フランス式子供のイベントはケルメスもクリスマスも、オルガナイズは最悪だ。前に習えができない子供たちにお遊戯をさせるのも難しい。

ママたちにしてもしかりで、学校側がお祭係りの分担を決めたとしても、おいそれと従うような彼女たちではない。彼女たちの協力はあくまでも彼女たちの自由意志だ。ママたちの達成感という観点からすると、まちがいなく日本式に軍配はあがるも

のの、幼稚園や小学校の校庭に漂う空気にストレス源はみつからない。だれもが無理せず、できる部分でお祭りに参加するからだ。

＊あなたがストレスを感じるなら、どこかがまちがっている

フランスと日本では、人々のメンタリティーがちがいすぎるから、同じ土俵では語れない。それでもほんの少しフランセーズを見習い、がんじがらめの女社会に風穴を開けようではないか。

なにごとにも建前と本音があるように、全員参加という建前にも例外はある。

最後まで納得できそうにないことには、勇気を持って首を横に振り、ノーといおう。あとで子供がいじめられるのではないかとか、あなたが仲間外れにされるのではないかという危惧はあるかもしれない。そうなったらなったで、あの奥さん、○○ちゃんのママって、ちょっと変わり者の烙印を覚悟すればいいだけではないか。

これだけ本が売れない時代に、この本を手に取り、このページを読んでくださっているあなたは、決してお祭り係りをサボろうとか、怠けようとする女性ではないはずだ。子供の学校のイベントにも地域活動にも、真面目に参加しているあなた。そんなあなたが考えて、納得がいかないようなことがあれば、そのまま曖昧にしてはいけない。あなたのストレスになるようなことなら、それはどこかがまちがっていると思っても、決して自信過剰なんかではない。よくよく考え、深刻な面持ちであなたがノーをだしたら、意外にも多くのママたちの賛同が得られるかもしれない。

私たちはフランセーズではないのだから、イエスをだすよりも、ノーをだすほうがなん倍もしんどい。だから、そのときだけフランセーズになったつもりで、ノンといおう。

逞しく生きていくための自立心を養う

フランス人がなにごとにも不安を持たず、平常心でいられるのは、彼らが自立している証

＊自分と他とのちがいを意識するうちに自立心が育つ

フランス人が個人主義だといわれることに私は、いつもなんとなく釈然としないものを感じていた。フランス女性、つまりフランセーズはたしかにわがままだし、他のどの国の女性よりもとっつきにくく、エゴイストそのものだ。二〇年間、雨の日も風の日もそんなフランス人の顔ばかりみていた生活を切り上げ、数年前に東京に戻った。そして今日まで、日本人の顔ばかりみている私は、あるひとつのことに気がついたのだった。

フランス人を評する言葉を挙げるとしたら、個人主義よりもむしろ、彼らには自立、という単語がふさわしい。男性も女性も一人一人が、精神的に自立している点こ

そういうべきだと今さらながら私は納得した。どんなにフランス人が身勝手だといっても、彼らの頭の中には退職金離婚というボキャブラリーはない。三〇年も四〇年も苦楽をともにした会社員の夫が定年を迎えたとしたら、どんなわがままなフランセーズでも、ご主人に長いことご苦労さんというにちがいない。夫がもらった退職金の半分をもらい、「ハイ、さようなら」と長年連れ添った夫に背を向ける妻が、どこの世界にいるだろうか。

立っている老人をみないふりをして、席を譲ろうとしない若者もフランスにはいない。禁煙の車内でタバコを吸う輩がいたらフランスなら必ず、マナー違反の人間にだれかが注意をする。本当のフランス人の姿を曲解し、個人主義という冷血漢のようなニュアンスの言葉を押し付けられているフランス人こそ、いい迷惑である。

以前、『お金がなくても平気なフランス人　お金があっても不安な日本人』というエッセーを、この本と同じ出版社からだしていただいた。おかげ様で出版不況といわれる昨今にあって、まずまずの売れゆき。戦後から今日まで、アメリカ一辺倒だった、私たちが理想とするライフスタイルが揺らぎ、日本人の多くがフランスに目を向けはじめた兆候だと、私には思えてならない。普通に生活する私たちが拝金主義を嫌悪し、お金以上に大切なものの存在を模索しだした証拠といっては、うがちすぎだろうか。今、このページを読んでくださっている読者のみなさんの中にも、前作をお買いくださった方がいらっしゃることだろう。買わずに書店で立ち読みしてくださった方にも、この場を借りて心からお礼を申し上げる。

前作を書いているときには思いつかなかったことだが、フランス人がなにごとにも不安を持たず平常心を保てるのは、彼らが自立している証ではないだろうか。フランス人はモノひとつ買うにも、子供の教育にも、親戚やご近所の人たちとのお付き合いにも、しっかりと自分の考えを持って暮らしている。そして質問されたことに対して、自分なりの言葉で、はっきり意見がいえる。たとえばお金がないのは、自分が怠けているせいではないのだから、正々堂々としていればいい。お金は人間の価値をはかるものではないし、本当に大切なモノはお金では買えない。

人種の坩堝、パリの町にイスラム教を信じているアラブ人もいれば、ユダヤ教を信じている人もいる。旧植民地、インドシナ諸国の人たちの中には、ヒンドゥー教徒も仏教徒もいる。雑多な人種、雑多な宗教による価値観がちがう家庭の子供たちが幼稚園から大学まで、同じ学校に集まっている。幼稚園児といえども給食のときなどは、自分が食べてはいけないものを係りの人にはっきりと告げなくてはならない。宗教による食物の忌避が、厳然と存在しているからである。

ユダヤの人たちが豚肉を食べたら、宗教的に大きな罪を犯すことになる。だから、幼稚園児であろうと給食でお肉が配られるとすかさず、「この肉はなんの肉なの」と鶏か牛か豚か羊か、肉の種類を知っている大人に聞く。そしてまわりの子供たちもそのときに、肉の種類を聞いた子がユダヤで、ユダヤの子供は絶対に豚肉を食べてはいけないということを理解する。だからといって仲間にヤイヤイいじめられることなどないし、ユダヤの子供はユダヤの子供として仲間の中で位置づけられるのである。カトリック教徒の家庭の子供や仏教徒の家庭の子供も、その意味ではなんら変わることはない。

つまり、幼くしてフランスの子供たちは、世の中における彼らの家族や彼ら自身の存在の位置づけ、つまりアイデンティティを思い知らされるのである。キミの家はこうだけれども、うちはこう。キミはキミで、ボクはボク。私はあなたとちがうのよと、なにかにつけて自分と他との識別を意識するうちに、自立心が植え付けられているのである。私たちもファッションやグルメのジャンルだけでなく、フランス人の自立心に大いに学ぶべきところがありそうだ。

*自立と自活のここがちがう

　ところがわが国の場合は、自立には経済力が巧妙にからむ。だから女性の自立というと、あたかもキャリア女性の特権ででもあるかのごとく思われている。とかく世間では収入があるかないかということが自立の要素だと思われがちだが、まったくそうではない。共働きで子なしのディンクスなら、夫も妻もちゃんとした収入があるのだし、おたがいが自立しているにちがいないと思ってしまいがちだが、それは誤解だ。学校を卒業してから同じ会社に勤務し、ベテランOLとして社内に君臨。お局さんの異名を持つ女性なら、自立した考えかたを持っていそうなものだが、案外そうでなかったりする。

　働いて得た自分の給料で生活を賄っているなら、それは自活という。自立と自活では、意味合いがまったくちがう。フルタイムで会社に勤務していても精神的に自立できていない人がいるように、専業主婦でも立派に自立している妻もいる。結婚していて、たまたま主婦業の他に仕事を持っていないのが専業主婦だ。そして私の専業主婦の親友になん人も、見事に自立した考えかたの女性がいる。

　彼女たちの夫に理解があるから、彼女たちが自立できたのではない。収入源の夫と離婚しても、いざとなったら稼げる自信があるからでもない。育った環境も多大に影響しているだろうが、たえず彼女たちは、自分にとってなにが大切なのかという自問自答をくりかえしているのである。

私たち妻を、専業主婦か否かで分類しようとする人たちの基準は、単にお金だ。そして多くの人たちはここでもまた、大きな過ちを犯している。専業主婦は自立していないけれども、働いている既婚女性は自立を果たしていると。子供にしてもしかりで、大学を卒業し、一応ちゃんとした会社に就職すれば、世間の人たちは子供が自立したという。だがそれは、自立でなくて経済的に独立したのである。子供は就職したから自立するわけではない。

自立しているかしていないかは、幼いときからのその子の考えかたによる。だからあなたのお子さんが、自分にふさわしい仕事に恵まれないからといってフリーターになったとしても、自立していないことにはならない。そうした会社の名前とか収入があるかないかといったことだけでなされる、十把ひとからげの区別が、私には諸悪の根源に思える。

オレが働いて稼いだ金でオマエを養っているのだぞという夫もどうかしているが、そんなセリフをいわせている妻もどうかしている。まあ、世の中の人たちが全員、ものごとのわかった教養人というのもつまらない。くだらないことをいう人間がいるから、まともな人間の教養が光るのだから。

今や団塊の世代が、いっせいに定年を迎える時代に突入した。マスコミでも昨今、年金問題やらに関連して定年延長の話題がかまびすしい。年金分割という、耳慣れない言葉もマスコミをにぎわせている。年金が夫婦分離で支払われるようになり、離婚は待ったほうが妻に有利になったなどというコメントを読みながら私は、女性の意識は明治や大正時代からちっとも進歩していないと嘆きたい。退職金離婚には呆れたが、年金分割制度が実施されてから……になると言葉もでない。

そんな奥さんと一緒になん十年も暮らせた男性は、よほど鈍感な夫に決まっている。そう思って私は、退職金がでたとたん離婚をいい渡される夫たちや、年金の半分を受給する権利ばかりを主張する妻たちは同じ穴のムジナ、目くそ鼻くそ……だと思うことにした。食べさせてもらったとか養ったとか、そのレベルでああだこうだといい合ったとして、それでは男と女って、いったいなんなのだろうかと首を傾げたくなる。

妻の意見を第三者の意見として聞く耳を持たない夫。いい年をしてご主人に判断を仰がなければ、なにも決められないと自慢げにいう奥さん。私の夫を含めて、人生の半ばをとうに過ぎた私たちについては、自立していようが依存していようが、そこそこに諦めもつく。夫に対する妻の私の躾が甘かったにちがいないと、自己反省すればいいのだから。だが、子供については話が別だ。私たちの子供が自分でものごとを考え、判断して行動ができないようでは困る。

＊自分も子供たちも、異なる価値観の中に放り込もう

だれが困るかといって、あなたの息子さんのお嫁さんになる女性も困るだろうが、それよりも当の息子さんが悲しい目に遭う羽目になるからだ。あなたのお嬢さんの場合もそうで、いずれ結婚するのだから、夫になる男性にお嬢さんのことを丸投げすればいいという時代ではない。時代は彼らが、結婚できないかもしれない症候群に冒されそうな様相を呈してもいる。それではどうしたら私たちの大切な子供が、逞しく生きていくための自立心を養うことができるだろうか。ここでもまた、フランス人の例を引き合いに出してみたい。

右へ習え、前に習えの姿勢を教えられることがないフランス人は、集団行動が苦手だ。私のフランス人の親友は、学校の制服にしても軍隊の名残りだと断言する。そんな彼らだから、十人十色、百人百色だ。二〇世紀を代表する政治家、英国のチャーチル首相をして、三六五日ちがうチーズを食べている国（フランスのこと）の人々を統率するのは、至難の業だといわしめているほどだ。考えかたも行動もバラバラな社会だからこそ、子供のうちからフランス人は自立心が旺盛になるわけである。だとしたら日本人の私たちが、私たちの子供に自立した大人になれと祈るならば、子供たちを価値観の異なる人たちの中に放り込むのが得策ではないだろうか。

あなたがサラリーマン家庭だとしたら、小売業や飲食業を営んでいる家族と親しくなればいい。反対に、あなたがブティックやレストランに勤めているかオーナーだったとしたら、公務員かサラリーマンの家族と親しくすればいい。あなたに夫がいて、あなたがたご夫婦の愛情に浸っている子供さんなら、母子家庭か父子家庭の日常を覗くのもいいのではないか。幼稚園に通っているお子さんなら、保育園の運動会が面白いというのではないだろうか。そう考えればフランスでなくてこの日本でも、いくらでも異色体験はできる。

さあ、今日から心を広くして、さまざまな人たちと向き合おう。あなたの子供さんと一緒に、なにがあっても困らない、自立した人生に一歩を踏み出そうではないか。

第五章

ありのままのあなたでいい

日本の男性は口下手ぞろいだし、
愛情表現こそ苦手だが、
内心では彼らは私たちが思う以上にパートナーを愛してる。

うっかり、ちゃっかりを地でいこう

ちゃっかりさんに騙されて結婚しても、楽しい家庭が築ければいいじゃない

＊結婚しない男たちの呆れたいい分

すでに下火になってしまったが、独身で子供ナシ、三五歳以上の女性を負け犬と称した本が出版された。はてはオスの負け犬まで登場しての喧々囂々、〝負け犬論争〟の最中、結婚しない男女のいい分が各誌に載った。

その中で私は、オスの負け犬とされていた男性諸氏の主張に、ただならないものを感じた。時の風潮といってしまうには、彼らが述べていた結婚しない理由はあまりにも下品すぎる。成人した大の男のいうこととしては、たとえマスコミに踊らされていったとしても、バカらしい。

「結婚したからといって、どうしてボクがその女性を一生面倒みなくてはいけないの

か」、中には「まだボクは若いから、自分で稼いだお金は自分で使う。十年もすれば体力もなくなるし老後のこともあるから、そのときになって若い女性と結婚する」などと、のたまう輩もいた。

死語になってしまったが、独身貴族といわれていた年収ン千万の弁護士とか大企業のエリート、青年企業家といった男性たちの毒舌には、ただただ唖然。メスの負け犬も似たり寄ったりではあるが、まだマシのような気がする。傍観者の私たちにしたら、未婚者たちがおたがいをけなしあい、自分たちが結婚できない理由を相手に擦りつけているだけにみえる。メスの負け犬たちが、自分たちの立場や主張を整理するのは勝手だが、そのまま老人ホームまでひた走るのでは、ちょっとお気の毒。結婚しない同性の仲間が大勢いるからといって、娘に独身宣言される私たち母親の気持ちはどうなるというのか。

物心ついたときからクラスの中に好みの男の子がいて、中学生や高校生になったらボーイフレンドと楽しくお喋りをした彼女たち。大学時代もきっと、それなりに異性を意識して楽しく過ごしていたにちがいない。

少なくとも彼女たちの母親は、娘が結婚して幸せに暮らすことだけを祈っているのではないだろうか。年ごろの娘を持つ私の個人的な意見をいわせていただければ、そんな親心を徹底的に踏みにじったのが、負け犬論争のような気がする。

＊「うっかり」「ちゃっかり」は女の性《さが》

またある本によると、うっかり、ちゃっかりタイプの女性が、条件のいい男性をみつけて巧みにアプローチし、結婚にこぎつけるらしいが、もともとそれが私たち女の性《さが》だ。

ならばうっかり、ちゃっかりを地でいこう。私の一人娘も常々、うっかり、ちゃっかりでいいと思っている。ついでにしっかりしてくれているとしたら、おまけがついたようで、母親としてこんなに嬉しいことはない。

娘さんたち、若い奥さんたちはおしなべてうっかり、ちゃっかりしているものだし、だから可愛いと私は思う。はたでみていてハラハラさせられるような若い女性が案外しっかりしていると思ったときなど、見ず知らずの娘さんや若い奥さんたちだったとしても、私は嬉しくなるし、思わず笑いがこみあげてくる。

世間のオバサンたちは私をふくめてうっかり、ちゃっかりの娘や若い奥さんたちを、暖かい眼差しで眺めているものである。そして自分が今のあなたの歳だったころのことを、あなたがうるさいと思っているお隣のオバサンは、そっと思い出しているのである。同性の私でさえ可愛いと思うのだから、あなたたちをみて男性が目じりを下げないはずがない。

＊女性が強くなったと男たちは錯覚している

私のまわりにはなん人も、ものわかった独身女性や頼もしい独身男性がいる。彼ら彼女たちをみていると、一日でも早くだれでもいいから結婚して、子供の一人も連れて歩いてもらいたいものだと思ってしまう。

結婚は人生の墓場でもないし、少なくとも独身でいるよりは面白い。好奇心の強い人と少ない人がいるから、面白いと思う度合いはちがうだろうが、異性こそは好奇心を最大限に満足させてくれる代物なのである。

先日、幼い男の子と久しぶりに遊んだ。遊んだというよりは、男の子に私が遊んでもらったといったほうがいいかもしれない。娘しか育てたことのない私は、女の子の扱いには熟練していると自負する一人だが、男の子についてはまったく無知だった。大人の男性の気持ちはわかっても、少年や青年にはめっぽう弱い。ところが男の子というのがまた、女の子とちがってピュアーというか、実に素直なのには驚かされた。男女一人ずつ子供のいるお母さんがよくいう、女の子も可愛いけれども、男の子はとくに可愛いという気持ちが、そのとき私にもわかった。

少女の茶目っ気と少年の純粋さとでもいおうか、それほど両性はちがう。男女のちがいに今さら驚いたところで、男の子と女の子の両方いるお母さんたちに笑われるだけだが、痛快なまでにちがう。なん色ものキレイなゴムボールを子供に手渡したとする。そのゴムボールをもらって、女の子はボールをじっくり眺める。男の子はボールをもらったとたん、ろくにみないで力いっぱいボールを投げる。男の子と女の子は、それほど異なる。

男の子と女の子のちがいと同じで、今さらいうまでもないが、成人した男女もまったくちがうのである。

ところが多くの男性は、女性が自分たちとちがうという点に、寛大でなくなっている。幼少期に自分を守ってくれたのは、お父さんではなくお母さんだし、学校では成績優秀な女子に囲まれ、彼女たちにノートを借りていた。女性が強くなったと、男性は錯覚している。

うっかり屋でいながら、どこかちゃっかりしている女性がいとおしく、可愛いと思う自分たちの本心を、彼らはティッシュにくるんでゴミ箱に捨てたほうが無難だと思おうとしている。よしんばちゃっかりさんに騙されたとしても、そこに彼女と結婚して築いた楽しい家庭があるのなら、それも人生の幸せにちがいないと、どうして男性たちは思えなくなってしまったのだろうか。

少なくとも結婚している男性は、妻がどんなにうっかり屋でも、ちゃっかりしていても、自分の人生はまずまずだと思っている。まして彼に子供がいたとしたら、それだけでも幸せだし、結婚した甲斐があったと思っているはずだ。

天地創造の昔から、女性は賢くも強くもない。世界じゅうで日本の男性だけが、私たち女性を誤解し、超人扱いしている。

ところが超人扱いされても、当の私たち女性はちっとも嬉しくない。超人扱いされたくもないし、過大評価されたくもないと、女性たちは思っているのだから。

＊女性として可愛がってくれるのは、外国人の男性ばかり!?

いっそそれなら、日本人以外の男性なら、私たち女性を正当に評価してくれるかもしれない。そんな期待をこめて、賢いといわれることに飽きた女性たちは、日本人ではない男性をさがす。

パリにもロンドンにも、ニューヨークやロサンゼルスやサンフランシスコにも、大勢の日本女性が暮らしている。東京など首都圏ならではの光景にちがいないが、日本国内でもこの数年、欧米人の男性を連れている日本人女性がふえた。アメリカ人やイギリス人、フランス人の場合がほとんどだが、彼らと腕を組んで歩いている女性たちのだれもが、このうえなく満足げな顔をしている。だからなのだろうか、彼女たちが欧米人の男性に連れられているのではなく、彼らを連れ歩いているように思えてしまうのである。

欧米の男性は、国籍を問わず女性を女性としてみてくれる。うっかり、ちゃっかりしていて可愛いと思ってくれる。そしてわが国にいる外国人で日本女性と付き合っていたり、あるいは結婚している男性はこう思う。自分のガールフレンドはしっかりしていていいと。

たとえわが国にいる欧米人の彼が語学教師で、いつもポケットに数千円しか持っていなくても、彼女の自尊心は十分保たれる。日本人以外の男性は、彼女の生の姿を評価してくれる奇特な人だからだ。

シェークスピアの時代でもあるまいし、愛し合う男女にとって家柄も金品も無意味だと、日本人以外の男性は考える。まして結婚して妻を丸ごと自分が養うのは損だなんて、下品なことは、彼らは絶対にいわない。外国人を連れている日本女性にしても、彼女が連れている外国人男性を、日本人男性に当てはめていた尺度では決め付けない。つい最近まで、まわりの独身男性を片っぱしから包容力がないだとか、マザコンだとか、経済力がないとコキ下ろしていたのがウソのように、外国人の彼に寄り添う彼女はご満悦。彼が欧米人特有のハンサムな風貌だというメリットは隠せないものの、彼をみる彼女の目には、地位やお金は映らない。ましてや外国人の彼に、持ち家があろうはずもないから、彼と彼女は純粋に男と女で勝負する。男と女の間に駆け引きが入り込むとしたら、恋の駆け引き以外にない。

男たちのないものねだりは幸せの証

日本の夫たちのないものねだり、最たるものが妻の仕事

＊世の男性たちは、ことごとくないものねだりをする

私の欠点は、愚痴をこぼさないことだということに、最近になってようやく気がついた。長いパリ生活で私は、愚痴を忘れた。

男の子なら母親に対して思いやりがあるから、愚痴のひとつも聞いてくれるのではないだろうか。たとえば「ママは疲れたの」といえば、「ママ、大丈夫？」という具合に。ところが残念ながら私にはたった一人、娘がいるだけである。母親と娘というのは微妙なもので、ウチの娘は母親の私から愚痴をいう権利を剝奪した。そのくせ彼女は、私の夫、つまり彼女の父親の愚痴は許すのである。

おかげで私は愚痴の代わりに、愚痴の種になるようなことをさまざまな方法で他の

ものに転嫁する術を習得した。そして夫をはじめとした男性たちのことを、こう決め付けたのである。世の中の夫たちは、ことごとくないものねだりをするものだと。自分はそこそこ幸せだと素直にいえないものだから、多くの夫たちはないものねだりをする。そして私は、ないものねだりはときに幸せの証拠であると、うがった結論をだした。少なくとも、日本の男たちについては。

フランスの多くの男性たちは、妻や恋人に愛されている自分は幸せだという。足の骨を折ったことを嘆き、石畳の道に止めておいた車が駐車違反でレッカー移動させられたといっては落胆するが、彼らはないものねだりはしない。

ないものねだりは、悩み多き日本人の性質を特徴づけているのかもしれない。一般のサラリーマン家庭の夫の場合、彼らのないものねだりの最たるものが、妻の仕事ではないだろうか。フランスの、ごく普通のサラリーマンのお喋りを聞けば、あなたも私の意見に同意してくれるのではないだろうか。

＊給料をもらっていることと趣味は、同等に評価される

S：シルビー、今なにしてるの。

P：彼女、水彩画を描いてるよ。来月から個展だから、準備に忙しくしている。

S：それは素敵だね。彼女の昨年の作品も、なかなかよかったじゃないか。
P：そうね、セザンヌが好きだから、この冬は南仏にいって絵を描いたんだ。キミのところのマリオンはなにしてるの。
S：彼女ね、最近出張が多くて、かなりバテてるな。
P：それは大変だね。ベビー・シッターはみつかったの。
S：ああ、ポルトガル人だから勉強はみてもらえないけど、決まりは守ってくれる。

Pはピエールという名前の、フランス電力に勤務する男性。彼の奥さんがシルビー。Sはシモンという名前の、やはりフランス電力に勤めるピエールの同僚。シモンの奥さんがマリオンで、こちらはエルフという石油会社に勤めるＯＬ。シモンとマリオンの夫婦には、六歳と四歳の二児がいる。ピエールとシモンたち夫婦は、私がパリに住んでいたころの親友である。郊外に住んでいる彼らが春から夏にかけての週末、頻繁に企画したバーベキューに、私はたびたび参加した。ここで私のパリ時代の友だちに登場してもらったのは、夫婦についてあれこれ思いめぐらせていたからだった。

フランスでは、とくに都市部の場合、ほとんどの奥さんたちは外で働いているから、専業主婦はとても少ない。パリで仲良くしていたフランス人のカップルの顔を次々に思い浮かべながら私は、専業主婦のマダムをさがしてみた。そしてあることに気がついたのである。

たまにいる専業主婦のマダムは、会社勤めこそしていないものの、れっきとした仕事がある。たとえばマンションの自治会の役員なども、フランス人にとってはれっきとした仕事になる。前述した、フランス電力に勤めているピエールの奥さんのシルビーが、決して特別なわけではない。

冒頭の男性二人の会話を聞いていると私たちのだれもが、ピエールの奥さんのシルビーは画家なのかと思うだろう。個展を開くのだから、セザンヌに憧れる水彩画が得意な画家にちがいないと。そして大の大人が絵を描いていると公表するほどなのだから、シルビーはプロの画家で、プロなのだから描いた絵画には買い手がつく。シルビーが描いた絵画を売って、いくばくかのお金を彼女は得ているはずだと。

そのことを確認するかのように、石油大手のOLをしているシモンの奥さんのマリオンとシルビーの二人を同じように語っている。ところが実際はシルビーは専業主婦であり、絵画はあくまでも彼女の趣味にすぎない。趣味だから、実益は伴わない。

フランスでは趣味もまた、一人の人間が真剣にかかわっていることにおいて、仕事と同列の意義を持つ。シルビーについては、彼女が専業主婦だということよりも、シルビーという一人の女性が水彩画に熱中していることのほうが重要なのである。シビアな金銭感覚の持ち主のフランス人だが、仕事=お金ではないところが面白い。主人公がやりがいをもって臨んでいることについては、たとえ収入に結びつかなくても、仕事は仕事なのである。

もしもピエールの収入だけで家族の生活が維持できなかったら、シルビーも働いていたかもしれない。または、ピエールだけの収入で賄っているマルタン家（ピエールの苗字はマルタン）の家計は、いつもキチキチかもしれない。いずれにしても、ピエールとシルビーが話し合って決めたことだから、それでいい。肝心なのは、妻が給料をもらって会社で働いていることと、趣味で水彩画をしていることとが、ともに行為として同等に評価されている点だ。

＊専業主婦がいいか、働いている奥さんがいいか

これがわが国の夫たちの会話になると、こうなる。

A：君の奥さん、なにしてるの。

B：ウチの奥さん、専業主婦ですよ。

A：そう、大変だね。ウチの奥さん、働いているからさ。
B：そうなんですか。で、どこなんですか。
A：彼女、公務員だからさ。
B：そうなんですか、大変ですね。
A：まあそうね、大変だね。

学校から帰ったら、母親が家にいる。それが当たり前の時代に育った私は、電車の中で二人のサラリーマンが交わしていた会話を聞きながら、専業主婦という言葉のニュアンスが、昔とちがってきていることに気がついた。結婚して子供がいれば、専業主婦が当たり前の世の中ではなくなっている。

彼らの話を小耳に挟んだのがきっかけで、私はかつてパリで交流のあった、なん組かのカップルの顔を思い浮かべてみたのである。そして、パリではきわめて少数派の専業主婦の一人として、シルビーのことを思い出したというのが、正直なところである。

どうもわが国では、妻たちは二種類に分かれるようだ。学校を卒業して会社に勤め、子供が生まれてもなお仕事を続けている妻と、専業主婦の二種類である。

ところが専業主婦でも、奥さんが働いていても、日本だと相方の夫にとっては「大変だね」だし、「いいね」なのである。どちらにしても世の中の夫たちにとって、仲間の妻がどことなくよくみえたりするものだ。

子供を託児所に預けて会社勤めを続ける女性を妻にしている友人が、ときに羨ましくもあるのが、専業主婦を妻に持つ夫。そしてまた同時に、そこで一緒に喋っている友人の大変さを目の当たりにすることで、自分のほうがいくらかマシかもしれないと、心ひそかに自己満足に浸るのも彼である。ダブル・インカムにくらべて妻が専業主婦だから、自分のお小遣いが少ないと嘆きながらも、帰宅したときに妻が家にいることに満足する。この一長一短あるということがわかっていながら、それでもなんとかならないかと思っているのが、わが国の男性たちだ。

だが、どうせ世の中の男性は、ないものねだりしかしないのだからといったところで、専業主婦は楽だとだけ思われているのも癪《しゃく》にさわる。

シルビーのように画家だといったところで、私たちの感覚だと、絵が売れなければ素人画家は趣味に等しい。ところが、夫たちのないものねだりの冷ややかな視線に耐えればこそ、花開く趣味もある。

趣味だと侮ることができないのが、専業主婦ならではの根気でもある。現実に私のまわりには、趣味を着々と実益につなげている主婦がなん人もいる。数ヵ所でパッチワークの先生をしている女性がいる。いまでは都内の大手デパートから、個展開催の依頼がたて続けという版画家もいる。出張料理人として、週末にはパートの助っ人を雇っている女性もいる。

継続は力という言葉は、私たち主婦にこそ味方してくれる金言である。ないものねだりの夫をアッといわせるためにも、あなたが続けられる趣味をさがそう。

写真を眺めて思うこと

若い頃の写真の中に、妻として母として成長してきたあなたがいる

＊オフィスに飾られた家族写真

あなたが今おられる近くに、彼とあなたの写真がありますか？　子供たちとご主人も一緒にいる家族の写真、部屋のどこかに飾ってありますか？

オフィスに入ると、彼女たちは決まって窓を背にして仕事をしていた。高く積まれた書類とパソコンが置かれているデスクの右角、手を伸ばして取れる場所に電話があった。回転する椅子から立ち上がり、いつも笑顔で私を迎えてくれた彼女たち。これはパリに住んでいたころ、私が訪ねていったパリジェンヌたちのオフィスの模様である。そしてデスクの上か、彼女が座る場所の近くの壁の一角には、彼女の子供たちとご主人の写真が飾られていた。

男性の場合もそうで、弁護士事務所を訪れたときも、アパートの売買の契約書の作成を主な業務にしている公証人のオフィスを訪れたときにも、大学の高名な教授の研究室でも銀行員のスチール机の上にも、彼らが子供や妻たちと一緒のバカンス先で撮った写真が置かれていた。中には生まれたばかりの、孫たちも混ざっている写真もあった。

タクシーの運転手さんの多くもまた、家族の写真をフロントガラスの内側において日夜、迷路のように入り組んだパリの石畳の路上を走っているのである。二〇年間のパリ生活を通じて、覗き見精神旺盛な私は、仕事で接したパリジャンたちの紹介で、いったいなん百人なん千人の写真の中の人たちと会っただろうか。この先もまずじかに会うことがないような、写真の中の彼らの家族と。だれが乗り込んでくるかわからないタクシーの場合などは、運転手さんの家族の写真はなん万もの人の目に触れるはずだ。

個人主義とか公私混同しないことがフランス流だと、あなたは思っているかもしれないが、彼らにはこんなヒューマンな一面もあるのである。

＊定期入れにしのばせた、十数年前の家族の写真

奥さんたちは気がついていないかもしれないが、わが国でも多くの男性は名刺入れや手帳、定期入れにあなたや子供さんたちの写真を大切にしまっている。わが家によく食事にみえる男性たちの中にも、いつも子供さんの写真を持ち歩いている人がなん人かいる。私は写真の中の彼の奥さんと子供さんを知ってはいるが、この先もまず会うことのない人たちである。

レストランや居酒屋での会食のときにもよくあるが、話の流れでだれかれということなく子供のことになってから、こっそりと自分の家族や子供の幼かったころの写真をスーツの内ポケットの定期入れから取り出し、ちょっと恥ずかしそうに仲間たちに披露する友だちもいる。私も人の親だから、彼らの気持ちが痛いほどわかる。

はにかむオヤジというのも様にならないが、そんなときに彼らが取り出す、角がよれた写真の中の子供さんたちのだれもがあどけない。まだ生意気なことをいわなかったころの、可愛い子供の写真と、どこか初々しさが残る奥さんの写真である。彼が最近になって若い奥さんをもらったわけではなく、十数年前の若かったころの奥さんの写真だ。

そういえば、成人に達した子供の写真や、オバサン然とした貫禄の奥さんの写真には、ついぞお目にかかったことがない。私の世代ではまだ、孫のいる仲間はほとんどいない。あと一〇年もしたら、彼らがこっそりポケットに入れて持ち歩く写真が、つぶらな瞳の孫たちの写真になるのかと思うと、なにやら複雑な思いがしないでもない。それとも孫の写真の代わりに、ラブラドールやチンチラ、アメリカンショートヘアなど、ペットの犬猫の写真を後生大事に持ち歩くようになっているかもしれない。

幼かったころの子供と若かったころの奥さんの写真を、スーツの内ポケットの手帳や定期入れに忍ばせ持ち歩く男性はいても、まだまだ仕事場のデスクの、それも一番目立つ場所にプライベートな写真を飾っている男性は、わが国では少数派だ。社会人になったばかりの娘がいうには、日本でも若い男性は会社の机の上に恋人や奥さんの写真を飾っているそうだ。もっとも、写真は彼のデスクの引き出しの中や、彼だけが眺めやすい角度の場所を選んで、飾られているそうだが。

＊写真が思い出させてくれること

最近は便利なデジカメ機能がついた携帯電話が普及し、撮りたての子供や恋人の写真をおたがいにみせあっている人たちもいる。パーティーや宴会でデジカメ写真を撮りまくり、その晩の美味しかった料理や楽しかった思い出のお裾分けとばかり、添付ファイルでコメントつき写真をメールで送ってくれることもしばしばある。ヴィジュアル効果という点で写真は、文章で表しきれない能力を発揮するものの、フランス人が大事に飾っている家族の写真や、わが国のオジサンたちが定期入れに忍ばせている、子供が小さかったころのセピア色した写真とは、まったくニュアンスがちがう。フランス人が飾っている写真や定期入れのそれが内包するセンチメンタリズムは、カメラつき携帯やパーティー会場のデジカメオジサンが撮る写真とは別物だ。

人生は前進あるのみ。懐古趣味なんて大嫌いという方には無用の長物にちがいないが、写真をみたからこそ思い出すことは多い。とくにあなたが彼と出会ったころの写真とか、結婚した当時の写真の中には、現在のあなたとは別人のようなあなたがいる。

新婚旅行でご主人が、自動シャッターをセットして写した、腕を組んだお二人の写真。子供をはじめて海水浴に連れていったときの写真の中の、あなたの水着姿。お宮参りの写真など、どれを眺めても思うのは、あのときはおたがいに若かったということ。それにくらべて、どうしてこんなに歳を取ってしまったのかしらと嘆くかもしれない。出会いのころの、にこやかに微笑むあなたの写真をみてご主人は、こう思う。

あのころの彼女、素直で可愛かったよな……。

奥さんと出会ったころの写真を眺めていたご主人が、こういうこともある。あのころの彼女にくらべたら、今キッチンに立っているボクの奥さん、素敵な女になったよな。きっと彼女がよくなったのは、ボクという男性にめぐり会い、こんなに甲斐性のあるボクという男と結婚できたからだよな。結婚したくてもできない女がうじゃうじゃいるこの時代、彼女はボクの奥さんになれて、ラッキーだったよな。中には臆面もなくこんな三段論法をのたまう亭主もいるかもしれないが、当の彼の奥さんがどう思っているかは、彼にはわからない。

＊結婚して成長した妻たち、ノスタルジーに浸る夫たち

結婚してからのほうが、独身時代よりもよくなった女性はたくさんいる。勝手な三段論法を持ち出す夫とはまったく次元がちがうものの、多くの夫たちもそのことに気づいているはずだ。おひたしと焼き魚、野菜炒めとチャーハンしか作れなかったあなたが、お料理上手な奥さんになったのも、料理を作って夫に食べてもらいたいと思ったからだ。彼に会わずに一人暮らしをしていたら、お料理上手になるきっかけがなかったのはたしかだ。

それになんといっても、結婚とか出産という人生の大イベントをへてきたあなたには、彼とのはじめてのデートのときにはなかった、無数の人生のヒダが刻まれているのだから。

女性として妻として、子供の母親として成長してきたはずなのに、なぜ婚約当時や結婚したばかりのときに撮った写真ばかり、あるいは子供が小さかったころの写真ばかりを、日本の夫たちは持ち歩くのだろうか。

家事を習得し、夫の家族とも仲良く付き合い、やがて子供を生み育て、彼女なりに成長してきた奥さんの、今の写真を夫たちが持ち歩かないのはなぜだろう。男友だちから一〇年以上前の、彼の子供がまだ幼かった時分の写真をみせてもらうたびに私は彼らに、今の写真はないのかと、一応ただすことを忘れない。

残念ながら、記憶の中の彼らの家族は、一〇年以上前の姿のまま成長をやめているのである。結婚、出産、育児と、私たち妻がいくつもの山場を上り下りするのを、世の中の夫たちはハラハラドキドキ、ただひたすら眺めていただけだ。彼ら自身が参加していないから、だから、彼らにとっては出産も育児も人生の大イベントにはならずに、人生の一大スペクタクル映画だったにすぎない。だからいつまでたっても、幼かった子供の写真を眺めてはノスタルジーに浸るのではないだろうか。

あのころはよかったと、可愛かった子供の写真を眺めながら当時を回想する夫のそばで、私たち妻は、あのころは大変だったけれども今は楽よねと、ひとしきり感慨にふけるのである。

夫から愛されているという自信を持って

夫に信頼され、子供たちに愛されている、幸せな私たち

＊美醜よりも、あなたの夫にとってあなたがどう映っているかが大切

自分が美しいと思っていてもいなくても、色っぽいといわれる人も色気がないといわれる人も、そんなことであなたの人生は変わらない。世界一の美貌の持ち主で、彼女の鼻がもう少し低かったら、世界史が塗り変わっていたとまでいわれるクレオパトラの一生が幸せに満ちたものだったかは疑問だ。エジプトの女王だったクレオパトラにしてもそうなのだから、普通の私たち女性に向けられる美醜の基準は、女の幸福度となんの因果関係もない。

あなたの夫があなたのことを可愛いといえば、あなたは可愛いのだし、彼があなたを美人だと思えば、あなたという女性は世界一美しい。つまりは、あなたの夫にとっ

てあなたがどう映っているかということが、とても大切なことなのである。

夫婦の仲のよさという点でも、妻の美醜はつゆほども関係ない。美しい妻を床の間に飾っておく時代が、過去にあったかもしれない。だが、今はちがう。器量好みとか、男性の経済力と女性の美しさを天秤にかける時代ではもはやない。能力のある男性に選ばれるのをひたすら待っていた、伏し目がちな美女など、二一世紀の現代には通用しない。

ブスとか美しいとか、世の中の男性たちはなにかにつけて私たち女性を物色して楽しんでいるが、ミス・ユニ日本代表と本気で結婚したいと思う男性が、はたしてなん人いるだろうか。生まれながらに授かった個性を私たち女性が、なるべくなら好感度に演出したいと願う気持ちがものをいう時代に、今はなっているのである。

その昔、著名な評論家がいった言葉に、こういうのがある。「男の顔は履歴書。女の顔は請求書」。だが、この説はなんとも時代遅れだ。

お金をかければ女性は美しくなれるというのなら、世の中に美人が氾濫するにちがいない。エステに通うのが当節、女性たちの間ではやっている。お金をかければそれなりに、お肌がツルツルになるだろうが、その場限りのことで長続きはしない。プチ整形にしても、高いお金を払ったという満足以上の成果があるかどうかは、はなはだ疑問だ。男の顔が履歴書だとしたら、女の顔も履歴書だ。エステやプチ整形に支払った金額の請求書なんかではなく、あくまでも私たちの内面にみなぎる品格に他ならない。

＊コーヒーショップに誘いたいと思われるくらい、チャーミングな女性でいたい

そして私はことあるごとに、神の名のもとでの平等を痛感する。美人だから幸せになるとは限らないという鉄則が、女の社会にまかり通っていることを。

歳を取るとなおさら、その女性が持っている本来の魅力が、一般的な美醜を凌駕してしまうから面白い。あなたのまわりにもいるではないか、絵に描いたような美人ではないけれども、とても素敵な年配の女性が。キリッとした中にも穏やかさを秘めた、笑顔が身についた彼女たちに、私は心から憧れる。

道を歩いていて、思わず眼をとめてしまうような、そんな中年女性に私もなりたいし、そんなおばあさんになりたい。だから私はあなたにも、身だしなみという言葉さえ忘れてしまったかのような、だらしのない女性にだけはなって欲しくない。

人からキレイだなんていわれなくてもいい、男性に気に入られようとも思わない。それが身なりを気にしない女性たちの自己主張でもあるかのように、私たちは錯覚

しがちだ。だとしたら屁理屈もはなはだしい。だらしがないだけで不精な彼女たちに、ポリシーなんかない。夫も辟易するような彼女たちの姿に、同性の私はただ呆れる。

男性におもねろとはいわないが、休日に二人でお茶を飲みに、家の近所にできたコーヒーショップにあなたを誘いたいと、彼に思わせるくらいのチャーミングな女性でいていただきたいと心から願う。

＊内心では彼らは私たちが思う以上に妻を愛している

妻と夫が一対の男女として向き合い、人格を認め合いながら、愛のある夫婦でいたい。愛という表現がこそばゆければ、信頼でもいい。結婚してなん年もたっている夫婦が、「あなた、愛しているわ」「キミ、素敵だよ」とおたがいの愛を四六時中たしかめ合っているフランス人のようなわけにはいかないが、私たち日本人の夫婦もなかなかいい線いっていると思う。

恥の文化で育った私たちにとって夫婦の絆は、愛と信頼が紙一重になっている。そして日本の夫たちは奥さんに向かって「愛しているよ」と口にださないだけで、彼らは妻をないがしろにはしていない。

子供と妻の小競り合いを小耳に挟みながら、居間のソファーで休日にゴロ寝する夫。妻と夫の役割分担のバランスが取れていることを、子供の笑い声が証明してくれる。

日本の男性は口下手ぞろいだし、愛情表現こそ苦手だが、内心では彼らは私たちが思う以上にパートナーを愛している。松嶋菜々子も可愛いけれどもあなたの彼は、あなたが世の中で一番、自分にふさわしいと思っているのである。

ブツクサと文句ばかりいって融通がきかない、頭でっかちの女だとうんざりすることがあったとしても、セックスの後ですやすや寝息をたてて眠るあなたを眺め、彼は他のだれよりもあなたがいとおしいと思っているはずだ。

どこの課のだれが美人だ、あそこの会社の○○ちゃんは、アレは美人じゃないよと、男性が女性たちの品定めをするのは愛嬌のうちだ。男性はだれでも口とは裏腹に、自分にとって一番だれが可愛いかということを知っている。そうでなければ到底、彼らがあそこまで仕事にがんばれるはずがないではないか。言葉や態度は悪くても男とは、切ないほどいじらしい動物なのである。

佳人、麗人と、男性という種族は女の品定めが本質的に好きだ。幼稚園児から七○代まで、いや墓場まで彼らは、目覚めているときにはあの子が可愛い、あの子が美人だ、そしてあの子が好みだといいながら、男の子たちはアイスキャンデーをかじり、オジサンたちはお酒を飲む。彼らは美しいという女性の属性を酒の肴にしながらも、とりあえずは妻として恋人として、ボクには彼女がいいなで一件落着。神様が創った世の中だけあり、さすがに平等。

あなたが美人でないばかりに、相手から愛されていないと思うことがあったら、それはまったくの筋ちがい。もしもあなたに対する彼の愛を疑ったとしたらそれは、紛れもなく愛の冒瀆につながる。

なにがいやかといって、人から疑われること以上の屈辱はない。そんなあなたの彼に対する猜疑心が、あなたへの信頼と愛情を冷めさせることはある。

だが、そんなことはどうでもいい。私もあなたも、妻として母親としての役割をどうにかクリアしていると思うなら、次は女として妻として確固たる自信を持とう。今、テレビの画面に見入っている男性の愛を、あなたが独り占めしているという自信を。

ご両親に愛されて育ったあなたは今、あなたのそばにいる彼に愛されている。そして子供に愛されているあなたも私も、この世の中で最高に幸せな人種にちがいない。

さあ、肩の力を抜いてニッコリ笑いながら、あなたを愛してくれている彼に話しかけてみよう。

文庫版あとがき

文章を書くことを生業《なりわい》にしていながら、このあとがきを書く手がいつになく緊張しております。理由は二つあります。

まず、本書に先立ち、同じ講談社文庫から出していただいた、『お金がなくても平気なフランス人　お金があっても不安な日本人』が、おかげさまで予想以上によく売れたからです。ならば今回のこの文庫も売れそうだとする販元さんの期待が、ずっしりとプレッシャーになりました。もっとも、こちらは嬉しい悲鳴にちがいありません。実は二つ目の理由の方が、はるかに真剣。あとがきを書き終えたからといって、この緊張からすぐさま解放されるというものではございませんので、現在進行形で今なお真剣勝負は続いております。

私のホームページをご覧になった方ならご存知のはずですが、住んでいる神楽坂の、自宅から歩いて一〇分ほどのところで、焼き菓子屋をはじめました。一九世紀のフランスの女流作家にちなみ、店名を〈ジョルジュ・サンド〉にいたしました。二〇年におよぶパリ生活でためこんだレシピとはいえ、プロ経験のない私が作って売る焼き菓子なのですから、材料のよさと素朴さが信条。幸い聡明で自立心旺盛でタフな二人の女性スタッフに恵まれましたので、ご近所の評判もまずまずといったところです。

バターとお砂糖を捏《こ》ね、卵と小麦粉を混ぜてお菓子を焼きます。パイ生地を延ばして、ベーコンやチーズのキッシュを作ります。おへそがぽっこり膨らみますようにと祈りながら、マドレーヌをオーブンに入れます。夜型の習慣は相変わらずですが、以前の昼間ブラブラしていた生活が一転して、規則正しい日常になりました。親友たちがぼちぼち定年を迎える世代の私に、今までとまったくちがう生活がスタート。世間でよくいう、二足の草鞋《わらじ》を履くことになりました。

自由人の典型と思われがちな物書きが、勤勉な焼き菓子屋になったことが、そもそも二つ目の緊張のはじまりでした。物書き稼業と焼き菓子屋というかけ離れた仕事をする私はいったい、なにをどう考えたらいいのかと、しばらくジレンマに陥っておりました。そしてようやく仕事に慣れたある日、雲が晴れるようにふうっとこんな思いが頭に浮び、パイ生地を捏ねる手をしばらく休めたものです。

「これからは机上の空論ではなく、目の前の現実を書こう」と。

かといって、今まで虚構の世界でものをいい、エッセイを書き続けてきたわけでは決してありません。私自身が見聞きし、実感してきたこと、出会った人たちのことをあなたにお伝えしてきたつもりです。それでもいざ、焼き菓子屋という実業に飛び込んでみると、物書きとのちがいに愕然とするばかり。パリに住みはじめたころに感じたカルチャー・ショックに相当する驚きでした。

とはいえ、これもパリでの場合と同じで、驚くことに慣れた私は、次にこうも考えました。これからは生地を捏ねながら、文章を書こうと。

焼き菓子を入れた箱にピンクのリボンをかけながら、二階のサロン・ド・テと呼んでいる喫茶でコーヒーを運びながら、お客さまと接する私に、こんな一行《ひとくだり》が浮びます。

「日本人も捨てたものではありません。ほんの少し愛という言葉を大切にするだけで、なん倍も楽しく暮らせます。ここはひとつ家庭的なフランスを参考にして、愛し方を磨こうではありませんか」と。

この場をお借りして、この本を単行本として最初に世に出してくださった、双葉社の戸塚美奈さんと、文庫化を担当してくださった講談社の嶋田哲也氏に、心からお礼を申します。今回の編集作業の打ち合わせは、もっぱら店の方でした。そのたびにメタボを懸念しながら嶋田さんは、焼き菓子やお料理の試食にご協力くださいました。

そしてなんといっても、ここまでお読みくださったあなたに、お礼を申し上げなくてはなりません。膨大な数の新刊本がひしめく書店さんの書棚から、この一冊を手にとってくださったあなたに。どうぞ私の意見を参考になさって、ベストな人生をお進みください。

本当にありがとうございました。

二〇〇七年十一月

吉村葉子

解説(?)

謎の人・葉子さん

伊藤理佐

突然ですが
クイズです
これは
どういう
シーン
でしょう?
…
…
…
…
答えは
千●屋の「みかん」をもって
入院中の
宇田川悟さんの
おみまいに病院にいきましたら
もう退院されていて
その足でご近所の
ご自宅にむかったところ
里ちゃんの
誕生日で
ご家族で
ケーキを
食べていて
まぜてもらった。
と、いう
シーンです…
お元気
…
しごと
いそがしいのに
ぐうぜんいた
こんなヒンシュク
なシーンが
あるでしょうか
いいえありません

なのに
葉子さんは
キュ
キュ
こういう時
とても
うれしそう
なのです…
リサちゃんて
ホント
こういう
運命よね❤
宇田川は
退院してる
里の
誕生日
そしてね、うふふ
うちの
家族は
全員
みかんが
嫌い
なの❤
ママー!
ええ!?
本当に
嫌い
なのよ❤
うふふ
ひぃぃぃ
輝く
葉子さん…
しょーがないから
目の前で
たべて
あげるわね
ほら
むいたわ
たべるわ~
まずい
わ~♡
これホントに
キラ
キラ
千●屋?

…パアァ…
2個めのみかんで
もっと輝いた
葉子さん…
リサちゃん
みてっ
みんな
みてっ
このみかん
青カビ
はえてるわ♥
よ、
葉子さん
キレイ…!!
これ
どこの
千●屋
なの?
△△店
です
わたし
これから
このみかん
もって
そこへ
いくわ♥
いそ
いそ
え?
え?

どんな対応をするのか
※イメージです
うふふ
あはは
パカラッ パカラッ
みるのよじゃあねグッドバイ♥
葉子さんは10分ゴ旅立ちましたキラキラと、それはたいへんに美しく…
なれてる…
みんながきらいなみかんしかも青カビ!!すごいわリサちゃん
パカラッ
本気でほめてる
こ、これが
フランス？
(イミフメイ)
バンザイ…
あのあとどうなったのかはこわくてきいていません…
ほら
青カビは
青カビ
わたしが見た中で一番美しかった葉子さん…
ううう
あとこの髪型をこなしている美人《ヒト》をわたしは見たことがありません…
いらっしゃーい
葉子さん…それはいつも謎の女…
フォーエバー…

本書は、二〇〇四年十二月に双葉社から刊行された『結婚しても愛を楽しむフランスの女たち　結婚したら愛を忘れる日本の女たち』を加筆・改題して文庫化したものです。

|著者|吉村葉子　1952年神奈川県藤沢市生まれ。立教大学経済学部卒業。20年間のパリ滞在を通じ、フランスおよびヨーロッパ全域を対象に取材、執筆を続ける。「人と人とのいい関係」をテーマに、日常生活に根ざしたエッセイなど著作多数。現在は神楽坂を拠点に、講演活動も行なっている。また、男女の愛を語る小説や翻訳物も出版。日本家政学会食文化研究部会会員。主な著書に、『パリ20区物語』『恋愛上手なパリジェンヌに学ぶ「愛されるヒント」』『少しのお金で優雅に生きる方法』『ラクして得するフランス人　まじめで損する日本人』『パリの職人』『こんなにも素敵なパリ』などがある。
http://www.yokoyoshimura.com

激《はげ》しく家庭的《かていてき》なフランス人《じん》
愛《あい》し足《た》りない日本人《にほんじん》

吉村葉子《よしむらようこ》

2007年12月14日第1刷発行
2008年1月28日第2刷発行

発行者——野間佐和子
発行所——株式会社　講談社
東京都文京区音羽2-12-21　〒112-8001
電話　出版部（03）5395-3510
　　　販売部（03）5395-5817
　　　業務部（03）5395-3615

Printed in Japan

講談社文庫
定価はカバーに
表示してあります

デザイン—菊地信義
本文データ制作—講談社プリプレス制作部
印刷———慶昌堂印刷株式会社
製本———有限会社中澤製本所

落丁本・乱丁本は購入書店名を明記のうえ、小社業務部あてにお送りください。送料は小社負担にてお取替えします。なお、この本の内容についてのお問い合わせは文庫出版部あてにお願いいたします。

ISBN978-4-06-275930-4

講談社文庫刊行の辞

二十一世紀の到来を目睫に望みながら、われわれはいま、人類史上かつて例を見ない巨大な転換期をむかえようとしている。

世界も、日本も、激動の予兆に対する期待とおののきを内に蔵して、未知の時代に歩み入ろうとしている。このときにあたり、創業の人野間清治の「ナショナル・エデュケイター」への志を現代に甦らせようと意図して、われわれはここに古今の文芸作品はいうまでもなく、ひろく人文・社会・自然の諸科学から東西の名著を網羅する、新しい綜合文庫の発刊を決意した。

激動の転換期はまた断絶の時代である。われわれは戦後二十五年間の出版文化のありかたへの深い反省をこめて、この断絶の時代にあえて人間的な持続を求めようとする。いたずらに浮薄な商業主義のあだ花を追い求めることなく、長期にわたって良書に生命をあたえようとつとめるところにしか、今後の出版文化の真の繁栄はあり得ないと信じるからである。

同時にわれわれはこの綜合文庫の刊行を通じて、人文・社会・自然の諸科学が、結局人間の学にほかならないことを立証しようと願っている。かつて知識とは、「汝自身を知る」ことにつきていた。現代社会の瑣末な情報の氾濫のなかから、力強い知識の源泉を掘り起し、技術文明のただなかに、生きた人間の姿を復活させること。それこそわれわれの切なる希求である。

われわれは権威に盲従せず、俗流に媚びることなく、渾然一体となって日本の「草の根」をかたちづくる若く新しい世代の人々に、心をこめてこの新しい綜合文庫をおくり届けたい。それは知識の泉であるとともに感受性のふるさとであり、もっとも有機的に組織され、社会に開かれた万人のための大学をめざしている。大方の支援と協力を衷心より切望してやまない。

一九七一年七月

野間省一

講談社文庫　目録

講談社文庫　目録

2007年12月15日現在